L'économie
du monde

24.95   RB

24.95   RB

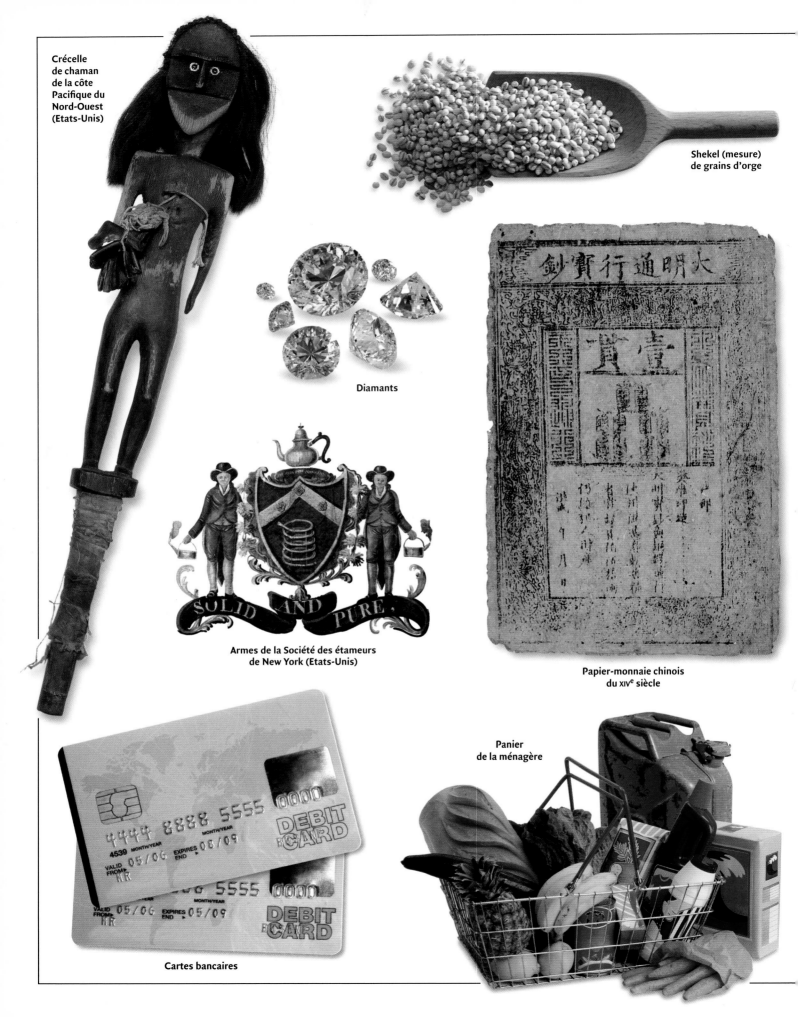

Crécelle
de chaman
de la côte
Pacifique du
Nord-Ouest
(Etats-Unis)

Shekel (mesure)
de grains d'orge

Diamants

Armes de la Société des étameurs
de New York (Etats-Unis)

Papier-monnaie chinois
du XIVe siècle

Panier
de la ménagère

Cartes bancaires

Perles de collier
multicolores utilisées
comme monnaie

L'économie
du monde

par

Johnny Acton et **David Goldblatt**

Quatre-vingts roupies
indiennes et une
livre sterling

Figurines du taureau
et de l'ours

BIBLIOTHÈQUE / LIBRARY
303 boulevard Beaconsfield
Beaconsfield   (Québec)
H9W 4A7

LES YEUX DE LA DÉCOUVERTE
GALLIMARD JEUNESSE

Les armes
de la famille
des Médicis

Epis de blé

IPod
(lecteur MP3)

COMMENT ACCÉDER
AU SITE INTERNET DU LIVRE

1 — SE CONNECTER
Tapez l'adresse du site dans votre navigateur puis
laissez-vous guider jusqu'au livre qui vous intéresse :
http://www.decouvertes-gallimard-jeunesse.fr/9+

2 - CHOISIR UN MOT CLÉ DANS LE LIVRE
ET LE SAISIR SUR LE SITE
Vous ne pouvez utiliser que les mots clés du livre (inscrits
dans les puces grises) pour faire une recherche.

3 — CLIQUER SUR LE LIEN CHOISI
Pour chaque mot clé du livre, une sélection de liens
Internet vous est proposée par notre site.

4 — TÉLÉCHARGER DES IMAGES
Une galerie de photos est accessible sur notre site pour
ce livre. Vous pouvez y télécharger des images libres
de droits pour un usage personnel et non commercial.

IMPORTANT :
• Demandez toujours la permission à un adulte avant
de vous connecter au réseau Internet.
• Ne donnez jamais d'informations sur vous.
• Ne donnez jamais rendez-vous à quelqu'un que vous
avez rencontré sur Internet.
• Si un site vous demande de vous inscrire avec votre nom
et votre adresse e-mail, demandez d'abord la permission
à un adulte.
• Ne répondez jamais aux messages d'un inconnu,
parlez-en à un adulte.

NOTE AUX PARENTS : Gallimard Jeunesse vérifie et met
à jour régulièrement les liens sélectionnés, leur contenu
peut cependant changer. Gallimard Jeunesse ne peut être
tenu pour responsable que du contenu de son propre site.
Nous recommandons que les enfants utilisent Internet
en présence d'un adulte, ne fréquentent pas les *chats*
et utilisent un ordinateur équipé d'un filtre pour éviter
les sites non recommandables.

Noisettes et mûres

Poupées russes

Collection créée par Pierre Marchand et Peter Kindersley

Pour l'édition originale : Édition : Rob Houston, Jessamy Wood, Julie Ferris, Jane Yorke ;
Direction artistique : Owen Peyton Jones, Martin Wilson ;
Iconographie : Louise Thomas ; Fabrication : Hitesh Patel, Pip Tinsley

Pour l'édition française : Responsable éditorial : Thomas Dartige ; Édition : Éric Pierrat ;
Traduction : Christophe Rendu
Adaptation et réalisation : ML ÉDITIONS, Paris ;
Correction : Marie-Pierre Le Faucheur ;
Couverture : Marguerite Courtieu ; Photogravure de couverture : Scan +

Édition originale sous le titre *Eyewitness Economy*
Copyright © 2010 Dorling Kindersley Limited

ISBN 978-2-07-063417-0
Copyright © 2010 Gallimard Jeunesse, Paris pour l'édition française
Loi n°49-956 du 16 juillet 1949 sur les publications destinées à la jeunesse
Dépôt légal : septembre 2010
N° d'édition : 175619
Photogravure : Colourscan à Singapour
Imprimé et relié en Chine par Toppan Printing Co. (Shenzen) Ltd.

Un étal de fruits

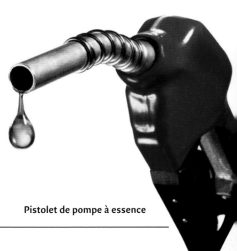

Pistolet de pompe à essence

SOMMAIRE

Pièces chinoises

L'ARGENT, MAIS ENCORE ?

Contrairement à ce que l'on pourrait croire, l'économie ne concerne pas uniquement l'argent. Celui-ci est simplement la représentation provisoire et symbolique d'une richesse. Sa valeur correspond à sa capacité à être échangé contre ce dont nous avons envie ou besoin.

QU'EST-CE QUE L'ÉCONOMIE ?

Supposons qu'une personne ait 1 000 euros pour vivre pendant un mois. Avec cet argent, elle doit se nourrir, payer son loyer, ses factures d'eau et d'électricité, s'acheter une paire de chaussures et faire réparer son ordinateur. Cela fait beaucoup de besoins pour peu d'argent, n'est-ce pas ? Eh bien, c'est cela, l'économie : satisfaire un grand nombre de besoins avec une quantité limitée de ressources. « Économie » vient d'un mot grec qui signifie « administration de la maison », mais ce terme s'applique généralement à un pays ou à l'ensemble du monde. L'économie d'une région est le résultat de ce que ses habitants décident de produire, d'acheter et de dépenser avec les ressources dont ils disposent. Les sciences économiques étudient la manière dont les gens font ces choix et les conséquences de leurs décisions.

Décompte du bétail

LES COMPTES

Sur cette tablette d'argile de l'ancienne Mésopotamie, vieille de 5 500 ans, figure le décompte d'une vente de moutons et de chèvres. Les Mésopotamiens furent le premier peuple à créer un système permettant de comptabiliser les biens produits, les ventes et les stocks. Pour y parvenir, ils inventèrent l'écriture.

MA PLACE DANS L'ÉCONOMIE

Chacun de nous fait partie de l'économie. Chaque fois que tu achètes, que tu vends ou que tu échanges quelque chose, tu contribues un peu, toi aussi, à l'économie. Le moindre téléchargement de musique sur Internet participe à l'industrie musicale mondiale dont le chiffre d'affaires s'exprime en milliards de dollars.

Porte-conteneurs dans le port d'Istanbul (Turquie)

L'INDUSTRIE

La production industrielle tient aujourd'hui un rôle très important dans l'économie. Elle représente environ un tiers de l'activité économique mondiale. Dans la plupart des industries, le processus de fabrication est fractionné en tâches spécialisées qui requièrent des compétences spécifiques. Cet ouvrier de l'industrie automobile est spécialisé dans la fabrication d'une pièce particulière du moteur.

L'AGRICULTURE

Autrefois premier secteur d'activité dans presque toutes les économies, l'agriculture ne représente plus aujourd'hui que 4 % de l'économie mondiale. Dans certains Etats, cependant, elle reste l'activité principale. En Guinée-Bissau, dans l'ouest de l'Afrique, la noix de cajou est la première source de revenus.

Noix de cajou

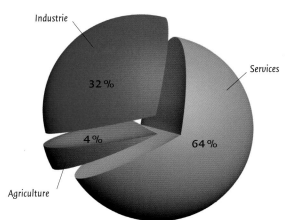

Industrie

32 %

Services

4 %

64 %

Agriculture

LES SECTEURS ÉCONOMIQUES

L'économie comprend trois grands secteurs : l'agriculture, l'industrie et les services. Leur importance relative est très variable selon les pays, mais généralement, plus un pays se développe, plus la part de l'agriculture diminue et plus celle des services augmente. Ce «camembert» illustre la contribution de chacun des trois secteurs à l'économie mondiale.

Guide montrant aux touristes les hauts lieux de l'Egypte

LES SERVICES

L'économie ne consiste pas seulement à fabriquer des objets. Les services y occupent également une place importante. Le secteur des services comprend, par exemple, la banque, la santé, l'éducation et le tourisme. Un guide touristique ne vend pas une chose ; on le paye pour faire visiter un endroit qu'il connaît bien. Le secteur des services (ou industrie des services) constitue la part principale de l'économie mondiale.

LE COMMERCE INTERNATIONAL

Les moyens de transport et de communication modernes ont créé une économie à l'échelle du monde. Les échanges commerciaux font voyager sur toute la planète de grandes quantités de marchandises. Certains produits comme le charbon ou le pétrole sont transportés en vrac, mais la plupart sont placés dans des conteneurs. Le trafic est devenu si dense que, en dehors du transport en vrac, 90 % des marchandises voyagent dans des conteneurs de taille standard permettant le transport par bateau, par train ou par camion.

Conteneur de taille standard

Grue chargeant des conteneurs

LES OBJECTIFS ÉCONOMIQUES

Les individus font des choix personnels (emploi, achats, selon leurs moyens et la conjoncture), alors que les États prennent des décisions qui concernent la société tout entière (taxer les riches plus que les pauvres, dépenser plus ou moins pour construire des routes et des ponts, etc.). Certaines décisions économiques produisent leurs effets dans le monde entier, alors que d'autres ont des conséquences plus locales. Selon les gouvernements, la priorité est donnée à la richesse globale du pays, ou bien à une répartition des richesses aussi égale que possible, ou encore à la mise à disposition gratuite de services de base pour tous. Dans tous les cas, les États doivent toujours considérer les effets immédiats mais aussi l'impact à long terme de leurs décisions économiques.

L'IMAGE DE L'ABONDANCE
Le luxueux hôtel Bourj el Arab de Dubaï, aux Emirats arabes unis, est un projet conçu par et pour les plus fortunés. Aux Emirats arabes unis, les 0,2 % les plus riches de la population contrôlent 90 % des richesses. Les hommes d'affaires amassent d'immenses fortunes personnelles mais cet enrichissement ne profite guère à la société dans son ensemble.

CHOIX ET PRIORITÉS
Les choix économiques des individus ne dépendent pas seulement de leurs préférences mais aussi de leur situation personnelle – sont-ils en bonne santé ? Ont-ils des enfants à nourrir ? – et de la situation économique générale. A cause de l'instabilité actuelle de l'Irak, ses habitants ne peuvent faire de projets à long terme. On voit ici que cette famille a besoin d'écouter régulièrement les informations, ce qui explique sans doute qu'elle ait investi dans une antenne satellite plutôt que dans les réparations dont la maison aurait bien besoin.

LE PRIX À PAYER
Chacun voudrait être riche, mais cela suppose généralement de travailler beaucoup et de passer peu de temps avec sa famille. Ce sont des sacrifices que les gens n'acceptent que s'ils pensent que le résultat en vaut vraiment la peine.

L'ÉGALITÉ DES REVENUS

En Suède, l'écart entre les revenus les plus hauts et les plus bas est beaucoup moins grand qu'ailleurs parce que l'Etat fait payer davantage d'impôts aux riches qu'aux pauvres. Ce système permet de donner à tous de bonnes conditions de vie et crée un sentiment de solidarité. Pourtant, il ne fait pas que des heureux : certains Suédois sont mécontents de payer beaucoup d'impôts pour financer les aides publiques aux plus pauvres.

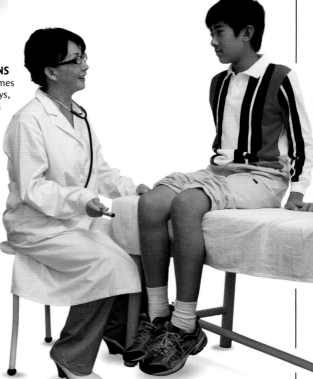

LA GRATUITÉ DES SOINS

Tous les Etats n'ont pas les mêmes objectifs de politique économique. Certains pays, tels le Brésil, la Grande-Bretagne, le Canada et le Japon, offrent à toute leur population un accès gratuit aux soins. Ces services sont financés grâce aux impôts et aux cotisations. Dans d'autres pays, chacun doit prendre une assurance privée pour couvrir ses frais de santé.

L'ÉGALITÉ... JUSQU'OÙ ?

Certains Etats organisent leur économie de telle sorte qu'il y ait le moins possible d'écart de richesse entre les citoyens. Il n'y a pas si longtemps, les Chinois étaient même obligés de s'habiller de la même façon. Le grand défaut de ce système est de supprimer l'une des principales motivations qui poussent les gens à être créatifs : la possibilité de faire fortune. Ceux qui détiennent le pouvoir peuvent aussi être tentés de se payer plus que les autres. Malgré tout, ce système a l'avantage d'assurer à tous le droit au logement, à l'éducation et à la santé. La Chine d'aujourd'hui, si elle a gardé un gouvernement autoritaire et communiste, a adopté une économie capitaliste sans frein.

TROP D'ARGENT, TROP VITE

Il arrive que l'économie privilégie les gains à court terme sans se soucier de l'avenir. Les habitants de l'île de Nauru, dans le Pacifique, se sont enrichis rapidement en exploitant le phosphate, principale ressource naturelle de leur minuscule Etat. Ils en payent aujourd'hui chèrement les conséquences : les gisements de phosphate sont épuisés, il ne reste plus qu'un demi-hectare de terre cultivable et l'île doit importer toute sa nourriture. Certains voient dans ce désastre un avertissement pour toute l'humanité de ce qui arrivera si l'on ne ménage pas les ressources naturelles de la planète.

ADAM SMITH
Adam Smith (1723-1790) est l'auteur d'un des premiers et des plus grands livres d'économie. Publié en 1776, *Recherches sur la nature et les causes de la richesse des nations* utilise l'image d'une « main invisible » pour expliquer le libre fonctionnement du marché.

QUI DÉCIDE DU FONCTIONNEMENT DES ÉCONOMIES ?

Le fonctionnement d'une économie dépend de son mode d'organisation. Dans le système appelé « économie dirigée », toutes les décisions sont prises par l'État, depuis le choix des biens et des services à produire jusqu'à la façon de les distribuer. Dans le système appelé « économie de marché », au contraire, il n'y a pas d'autorité centrale : ce sont les individus et les entreprises qui prennent les décisions. Ce système peut fonctionner très bien par lui-même, mais les marchés non réglementés rencontrent des problèmes dès qu'il y a trop peu d'acheteurs ou de vendeurs. Quand une entreprise est seule à vendre un bien essentiel (l'eau, par exemple), elle est tentée de fixer un prix très élevé ; quand les bananes se vendent mal, les vendeurs sont obligés de baisser énormément leurs prix. C'est pourquoi la plupart des pays ont une économie mixte, dans laquelle les entreprises se gèrent elles-mêmes mais où leurs activités sont régulées par l'État.

@ ▶▶
Théorie
économique

LA MAIN INVISIBLE
Adam Smith croyait que l'économie de marché obéissait à une « main invisible » faisant coïncider l'intérêt de chacun avec l'intérêt de tous. Personne n'oblige ces vendeurs de tapis à se regrouper, mais c'est parce qu'ils le font que les clients savent où aller pour acheter un tapis. La concurrence des vendeurs permet aux clients de bénéficier de prix plus bas. De leur côté, les vendeurs sont sûrs d'avoir beaucoup de clients. Tout le monde y gagne, et pourtant ce système n'a été organisé par personne.

Tapis exposés pour attirer les clients

Le siège du Parti communiste à Pékin (Chine)

L'ÉCONOMIE DIRIGÉE

L'économie communiste est un type d'économie dirigée. Le communisme est une doctrine politique et économique qui prône une société sans classes dans laquelle il n'y a ni riches ni pauvres. Dans une société communiste, tous les moyens de production (les usines, les machines et les matières premières) appartiennent à l'Etat, qui décide lui-même quels sont les besoins de la population. Le gouvernement communiste de la Chine détermine à l'avance la production agricole et industrielle du pays. Son économie a cependant évolué vers un capitalisme plutôt débridé.

LE CHOIX DU PEUPLE

Dans les pays démocratiques, ce sont les électeurs qui choisissent leur gouvernement. Les candidats proposent une politique économique (un programme), et les électeurs votent pour celui qui leur convient. Si le peuple est mécontent du gouvernement, il peut le faire partir en votant contre lui. Cette Indonésienne vote pour le candidat de son choix lors des élections de 2009.

Bulletin de vote indiquant le choix de l'électeur

L'ACCAPAREMENT DES RICHESSES

Dans une dictature, une seule personne contrôle toutes les activités économiques (et tout le reste ou presque). L'ancien président du Turkménistan, Saparmourad Niazov (1940-2006), fit en sorte qu'un pourcentage important des revenus du pétrole et du gaz de son pays lui revînt personnellement. Il consacra une partie de cet argent à se faire construire une statue plaquée or à son effigie qui tourne en suivant la course du Soleil. Son successeur prévoit de la faire démonter même si son mode de gouvernement n'est guère différent.

QUAND LE CLIENT EST ROI

En économie de marché ou en économie mixte, les consommateurs sont libres de dépenser leur argent comme ils veulent. Ce sont leurs choix de consommation qui déterminent les marchandises à produire. S'ils sont prêts à payer pour un certain produit, quelqu'un aura intérêt à le fabriquer. Souvent, plusieurs entreprises concurrentes fabriquent des produits concurrents et offrent ainsi au client le choix entre différentes qualités et capacités.

LES RÉPUBLIQUES BANANIÈRES

Certaines entreprises deviennent parfois si puissantes qu'elles contrôlent toute l'économie d'une région. La firme américaine United Fruit Company exerçait autrefois une telle domination sur les pays d'Amérique centrale, où elle exploitait des plantations de bananes, qu'on leur avait donné le nom de «républiques bananières».

Poisson

Œufs

Noisettes

Mûres

UN MODE DE VIE INTACT
Les quelques tribus de chasseurs-cueilleurs qui subsistent encore ont gardé un mode de vie qui n'a guère changé depuis des milliers d'années. Ils ne pratiquent pas l'agriculture ; les hommes chassent et pêchent tandis que les femmes récoltent des noisettes, des œufs, des baies... Les derniers chasseurs-cueilleurs, bientôt disparus, nous donnent de précieuses informations sur la façon dont vivaient nos lointains ancêtres.

FAIRE DES CHOIX
Partout dans le monde, les hommes sont confrontés à des choix économiques. Ils doivent décider comment utiliser au mieux leurs ressources limitées. Ce qui est vrai aujourd'hui l'était déjà il y a des milliers d'années, avant l'invention de l'agriculture. À cette époque, chacun vivait du produit de sa chasse et de sa cueillette, se déplaçant de lieu en lieu et fabriquant des outils et des abris avec les matériaux locaux. Les hommes vivaient en petits groupes itinérants qui commerçaient parfois avec d'autres groupes. C'était une économie de chasseurs-cueilleurs. Certains peuples vivent encore ainsi, tandis que d'autres pratiquent l'agriculture ou l'élevage à petite échelle. Comme les habitants des sociétés industrialisées, ces populations font des choix économiques lorsqu'elles décident comment se répartir les tâches ou comment s'occuper des enfants et des malades.

Cachés dans les hautes herbes, les Bushmen visent leur cible.

Arc

Flèche

CHASSER ENSEMBLE
Ces Bushmen du désert africain du Kalahari (Namibie) chassent en groupe parce qu'ils savent qu'ils ont beaucoup plus de chances de tuer un animal ensemble que séparément. Si la chasse est bonne, la viande sera partagée entre tous. Il faut que chacun mange lorsqu'il y a de la nourriture, car il est rare de pouvoir faire des réserves. Le partage est donc vital dans ces sociétés.

LA SPÉCIALISATION

La spécialisation, ou division du travail, est une caractéristique commune à toutes les sociétés humaines. Elle s'observe très bien dans de petites communautés comme celle des Yanomamis d'Amazonie, en Amérique du Sud. Il ne viendrait à aucun homme de la tribu l'idée de mâcher la racine de cassave, ce que font les femmes pour lui enlever son amertume avant de la faire cuire. Ce travail profite pourtant à toute la communauté.

Femme Yanomami préparant la cassave dans la forêt tropicale d'Amazonie

LE NOMADISME

Les peuples pratiquant le pastoralisme sont des éleveurs nomades qui se déplacent continuellement avec leurs troupeaux pour trouver des pâturages. Ils installent des campements provisoires là où ils pensent trouver de la nourriture, de l'eau et des matériaux pour fabriquer des outils. Ces bergers mongols vivent dans des tentes de feutre démontables appelées yourtes ou gers.

Les lamelles de métal produisent un son de crécelle.

LES GUÉRISSEURS

Les petites communautés de chasseurs-cueilleurs ont leurs propres méthodes pour soigner les maladies. Certains de leurs membres se spécialisent dans l'utilisation des plantes médicinales locales. On leur prête des pouvoirs spirituels et ils célèbrent des rituels pour agir sur les esprits jugés responsables des maladies. Dans certaines communautés, ces chefs spirituels appelés chamans mènent la cérémonie au son d'une crécelle.

Crécelle de chaman de la côte Pacifique du Nord-Ouest (Etats-Unis)

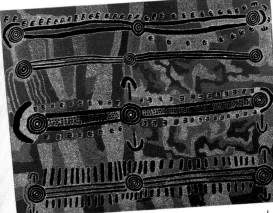

LE MAINTIEN DES TRADITIONS

Les communautés de chasseurs-cueilleurs sont en voie de disparition car elles ne disposent plus des espaces nécessaires à côté de la civilisation moderne. Certaines tribus en contact avec la société industrielle cherchent cependant à préserver leur culture ancestrale. C'est le cas des Aborigènes Pila Nguru d'Australie, qui réalisent ces peintures colorées grâce à la technique du pointillé.

LA PROPRIÉTÉ PRIVÉE

Chacun trouve naturel que certaines choses lui appartiennent, par exemple les cadeaux qu'on reçoit ou les objets qu'on fabrique ou obtient grâce à son travail. On a des droits sur ce que l'on possède, mais on ne possède pas les mêmes choses dans toutes les sociétés. Un chasseur-cueilleur n'imagine pas qu'une terre puisse appartenir à quelqu'un. Dans les pays communistes, les usines appartiennent en principe à tous et, en réalité, à l'État. Dans la Rome antique, certains possédaient des esclaves. Jusqu'aux années 1900, dans une partie de l'Europe, les femmes mariées étaient privées de leur droit de propriété. La propriété influe sur les choix économiques des individus puisqu'elle détermine ce que leur rapporte leur travail ou leur investissement. C'est pourquoi le droit de propriété est essentiel au fonctionnement de l'économie.

C'EST À MOI !

Les chimpanzés semblent reconnaître une forme de propriété. Lorsqu'un chimpanzé, même le dernier dans la hiérarchie du groupe, ramasse un fruit, aucun de ses congénères n'essaie de le lui prendre. Nous avons peut-être hérité cette notion de nos lointains ancêtres communs. Pourtant, les scientifiques ne sont pas tous d'accord pour dire que le respect du droit de propriété est instinctif chez l'homme. En réalité, ce sont les lois et les coutumes qui le font respecter.

À QUI EST-CE ?

Autrefois, beaucoup de tribus indiennes d'Amérique du Nord ne se considéraient pas comme propriétaires de la terre où elles vivaient. Les joncs que coupaient les Indiens au bord d'un lac pour tresser un panier ne leur appartenaient peut-être pas, mais le panier était bien à eux.

S'IL N'EN RESTE QU'UNE...

Les lois chinoises sur la propriété ont permis à Wu Ping de conserver sa maison, dans la ville de Chongqing, alors que tous ses voisins avaient accepté de vendre la leur aux promoteurs. Elle a refusé de déménager même lorsqu'elle s'est retrouvée isolée sur un piton escarpé au milieu d'un immense chantier. Finalement, Wu Ping a trouvé un accord avec le promoteur et sa maison a été démolie.

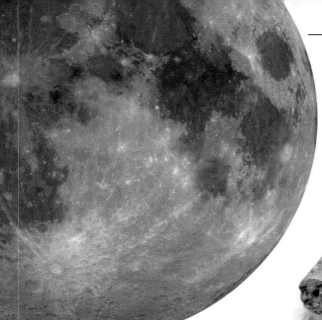

À QUI EST CE CHEF-D'ŒUVRE ?

Il est parfois compliqué de savoir à qui appartient quelque chose. En 1801, l'ambassadeur britannique Thomas Elgin acheta des bas-reliefs en marbre de l'Antiquité grecque aux Turcs qui occupaient alors la Grèce. Ils se trouvent aujourd'hui au British Museum, à Londres, mais la Grèce les réclame. Les Anglais expliquent qu'ils les ont payés et en ont pris soin depuis deux cents ans. Qui a raison ?

Un morceau de lune

En 1967, les Nations unies ont signé un traité interdisant aux Etats de revendiquer la propriété de la Lune ou d'autres parties de l'espace. Mais le traité n'a rien dit des individus et des entreprises. Un habitant du Nevada, Dennis Hope, a gagné des millions de dollars en vendant des parcelles de la Lune. Un tel achat est sans doute un mauvais investissement, car les tribunaux de la Terre risquent de ne pas reconnaître ces propriétés lunaires, mais cela peut faire un cadeau original.

Thon rouge

La tragédie des biens communs

Si une ressource n'appartient à personne et que tout le monde peut l'utiliser, personne n'a de raison particulière d'en prendre soin. Les économistes appellent cette situation « la tragédie des biens communs ». Le sort du thon rouge en est un triste exemple. Comme, selon le droit international, la haute mer et le poisson qu'elle contient n'appartiennent à personne, cette espèce succulente est au bord de l'extinction à cause d'une pêche massive.

C'est moi qui ai trouvé !

Les idées peuvent avoir autant de valeur, sinon plus, que des objets matériels. Jusqu'à une période assez récente, chacun avait le droit d'utiliser librement et gratuitement les idées des autres. De nombreux Etats ont fini par considérer que cette situation était non seulement injuste mais néfaste, parce qu'il y a moins de chances de voir apparaître des inventions intéressantes si leurs auteurs n'ont aucune garantie d'en retirer un bénéfice. C'est pourquoi ont été créées des lois sur la propriété intellectuelle.

Cette terre est la mienne

Les populations chez qui la notion de propriété de la terre n'existe pas sont parfois obligées de lutter pour le territoire où elles vivent lorsque d'autres tentent de s'en emparer. Ces Amérindiens de la forêt tropicale du Pérou défendent leur droit à occuper la terre, à la cultiver et à y chasser, mais ils n'ont aucun titre de propriété. Or, comme le droit péruvien admet la propriété privée de la terre, les compagnies forestières peuvent acheter des parcelles de forêt, obligeant ainsi les Amérindiens à partir. Devant la colère de ces derniers, deux lois péruviennes sur la propriété de la terre ont été abrogées en 2009.

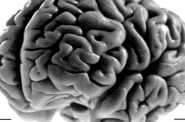

LA DIVISION DU TRAVAIL

En travaillant en équipe, on arrive à produire beaucoup plus qu'en travaillant seul. Ce n'est pas seulement vrai pour des tâches trop difficiles pour une personne seule : soulever une charge très lourde, par exemple. Beaucoup de travaux peuvent être réalisés beaucoup plus vite en commun, surtout si on les fractionne en une série d'opérations confiées à des personnes différentes. En effet, les gens qui font la même chose de façon répétée la font de mieux en mieux et de plus en plus vite. Ils en deviennent spécialistes. Ils sont plus efficaces et productifs, ce qui signifie qu'en une heure ils produisent davantage que des non-spécialistes. Le fait de fractionner une tâche pour produire le plus possible dans le moins de temps possible s'appelle la division du travail.

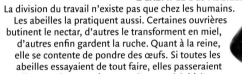

L'EXEMPLE DES ABEILLES
La division du travail n'existe pas que chez les humains. Les abeilles la pratiquent aussi. Certaines ouvrières butinent le nectar, d'autres le transforment en miel, d'autres enfin gardent la ruche. Quant à la reine, elle se contente de pondre des œufs. Si toutes les abeilles essayaient de tout faire, elles passeraient tellement de temps à passer d'une activité à l'autre que la ruche produirait beaucoup moins de miel.

Productivité

Cellule contenant
de la nourriture
et des œufs

L'ARTISANAT D'ART
Le développement de l'agriculture a dispensé les hommes de chercher sans cesse de la nourriture, ce qui leur a donné plus de temps pour se spécialiser dans d'autres activités. Ils ont ainsi fabriqué beaucoup plus d'objets et mis au point des techniques telles que le travail du métal. Ce dragon de bronze du VIᵉ siècle avant notre ère (Mésopotamie) représente le dieu babylonien Mardouk.

Gravure du XVIIIᵉ siècle représentant une usine d'épingles

Ouvrier spécialisé plaçant les têtes sur les épingles

Feu pour chauffer le métal

Epingles

L'UNION FAIT LA FORCE
L'économiste du XVIIIᵉ siècle Adam Smith pensait que même des travaux simples comme la fabrication des épingles gagnaient en efficacité grâce à la coopération et à la spécialisation. Selon lui, dix personnes pouvaient fabriquer ensemble autant d'épingles en un temps donné que 24 000 travaillant individuellement. Mais la spécialisation peut créer l'ennui, et lorsque les ouvriers ont l'impression de devenir des machines, ils sont malheureux et moins productifs.

Abeille ouvrière

UNE RÉPARTITION INJUSTE ?

Au xixe siècle, lord Armstrong, l'inventeur et industriel anglais propriétaire de cette riche demeure, se payait plus cher que tous ses employés réunis. Etait-ce injuste ? Pour beaucoup d'économistes, non, parce qu'on peut toujours remplacer un ouvrier par un autre, tandis qu'Armstrong, lui, était irremplaçable. Sans ses inventions, ses ouvriers n'auraient pas eu d'emploi. Il n'est pas toujours facile d'évaluer à son juste prix ce que chacun apporte à la performance collective.

LE TRAVAIL À LA CHAÎNE

Entre 1908 et 1913, le fabricant automobile Ford développa la fabrication sur chaîne d'assemblage. Un tapis roulant s'arrêtait le temps nécessaire devant chaque ouvrier spécialisé pour qu'il effectue une tâche précise. Grâce à cette organisation, le temps de fabrication d'une voiture passa de 12 h 30 à 1 h 30. Ce gain de productivité permit d'augmenter les bénéfices de l'entreprise et les salaires des ouvriers, tout en réduisant le prix de vente des voitures.

Ouvrier effectuant une tâche spécialisée

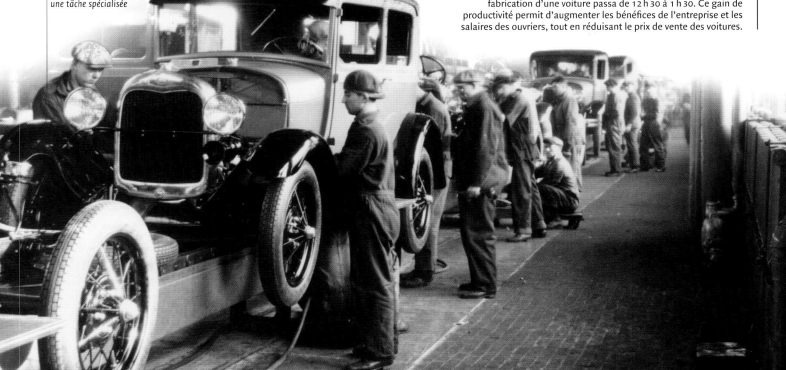

LE COMMERCE

On appelle commerce le fait d'échanger une chose contre une autre. Les particuliers et les entreprises font du commerce parce qu'ils ne peuvent pas produire eux-mêmes tout ce dont ils ont besoin, ou parce qu'il est plus intéressant pour eux de produire autre chose. Quelqu'un qui n'a ni les compétences ni l'équipement nécessaires pour fabriquer une télévision peut l'acheter, c'est-à-dire l'échanger contre de l'argent, à une entreprise dont c'est la spécialité. De plus en plus de biens et de services se vendent et s'achètent entre particuliers et entreprises de différents pays. Les biens et services qui sortent d'un pays sont des exportations, et ceux qui y entrent sont des importations. Certains États protègent leurs industries nationales contre des importations moins chères en leur appliquant des droits de douane, qui sont des taxes sur les importations.

DÈS LA PRÉHISTOIRE
Les outils de silex découverts là où cette sorte de pierre n'existe pas dans la nature suggèrent que les hommes préhistoriques faisaient du commerce. Ces éclats de pierre taillés étaient utilisés pour construire des abris, fabriquer des vêtements et découper la viande. Pour se les procurer, les habitants des régions dépourvues de silex offraient autre chose en échange à ceux qui en possédaient.

LE TROC
Dans le monde moderne, les biens et les services s'échangent généralement contre de l'argent, mais avant l'invention de la monnaie ils étaient échangés (troqués) les uns contre les autres. On peut troquer, par exemple, une certaine quantité de pommes contre un coq. Le troc existe encore de nos jours. Il tend même à se répandre avec la pratique des échanges en ligne sur les sites internet communautaires.

Coq

Pommes

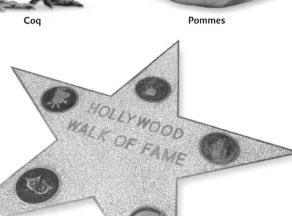

SPÉCIALITÉS LOCALES
Les entreprises d'une région se spécialisent parfois dans certains biens ou services parce qu'elles disposent sur place des matières premières nécessaires ou parce que le lieu est devenu un symbole d'excellence dans un domaine. Les premiers cinéastes installés à Hollywood appréciaient avant tout le soleil de la Californie qui permet de tourner en extérieur toute l'année. Vers 1910, Hollywood comptait deux studios. C'est aujourd'hui la capitale mondiale du cinéma.

Un navire quitte le port de Lisbonne (Portugal).

Cardamome

LA ROUTE DES ÉPICES
Les épices comme le poivre et la cardamome étaient très recherchées dans l'Europe des XVe et XVIe siècles. Comme les routes commerciales traditionnelles des îles du Sud-Est asiatique, leurs régions de production, étaient contrôlées par les marchands arabes, elles se vendaient très cher en Europe. Les explorateurs européens se mirent à sillonner les mers pour découvrir de nouveaux itinéraires. Bientôt, la soie et les épices d'Orient, le sucre et les métaux précieux des Amériques, devinrent d'importantes sources de revenu pour les nations d'Europe.

LE COMMERCE EST PARTOUT
Le commerce, c'est l'échange de biens et de services pour satisfaire des besoins. Chacun, d'une façon ou d'une autre, le pratique dans sa vie quotidienne. Echanger des images entre amis, c'est déjà une forme de commerce.

UN MONDE SANS FRONTIÈRES
Les Etats imposent parfois des droits de douane ou «barrières douanières» pour protéger leurs industries nationales de la concurrence étrangère. Certains pays forment des blocs commerciaux qui suppriment ou réduisent les droits de douane entre membres. C'est ainsi que les 27 pays de l'Union européenne ont instauré entre eux la libre circulation des hommes, des biens et des services.

Le drapeau
de l'Union européenne

UN IMPACT PLANÉTAIRE
Dans le monde ouvert d'aujourd'hui, les événements ou les décisions qui surviennent dans un pays peuvent avoir d'énormes conséquences pour l'économie des autres. Si les Etats producteurs de pétrole réduisent leur production, les cours mondiaux de cette matière première augmentent forcément. Et comme beaucoup d'industries et de modes de transport dépendent du pétrole, cette hausse a des répercussions importantes sur le commerce international.

Les pétroliers
approvisionnent
le monde entier.

LA NAISSANCE DE LA MONNAIE

Avant de connaître la monnaie, les hommes pratiquaient le troc. Mais ce système manquait d'efficacité : quelqu'un qui souhaitait échanger une chèvre contre du bois de chauffage ne trouvait pas forcément quelqu'un qui souhaitait échanger du bois de chauffage contre une chèvre ! L'invention de la monnaie résolut le problème. Puisque sa valeur était reconnue par tous, il devenait simple et rapide de vendre et d'acheter ce que l'on voulait. Il fallait qu'elle soit suffisamment rare pour garder sa valeur, mais pas trop tout de même (dans une ville où il n'y aurait eu que deux pièces en circulation, il aurait bien fallu revenir au troc). Il fallait aussi qu'elle soit difficile à contrefaire (imiter), facilement transportable, résistante à l'usure et divisible.

LES PREMIÈRES PIÈCES
Le métal était une monnaie-marchandise très prisée dans l'Antiquité. Le problème, pour déterminer sa valeur, était de connaître sa pureté. Les premières pièces, fabriquées en Lydie (la Turquie d'aujourd'hui) vers 640 avant notre ère, ont apporté la solution. Elles étaient frappées du sceau royal, une tête de lion, qui garantissait leur pureté.

Monnaie

Grains d'orge

CHAQUE GRAIN COMPTE
Dans l'ancienne Mésopotamie, le shekel était à la fois une unité monétaire et une unité de mesure. Un shekel contenait à l'origine 180 grains d'orge. On appelle monnaie-marchandise une monnaie qui tire sa valeur de sa propre utilité, par exemple : l'orge, le métal, le sel, etc.

Les caractères indiquent que ce billet chinois du XIVe siècle équivaut à mille pièces.

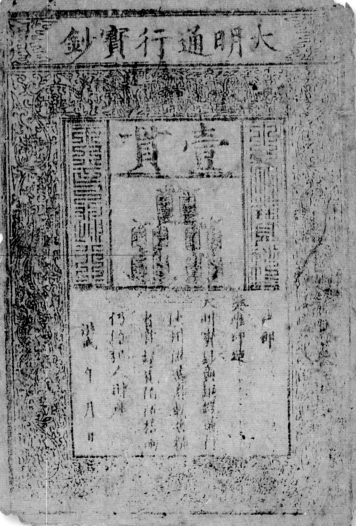

perles de collier

Cauris

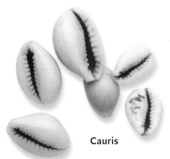

LA MONNAIE DE PERLE
De multiples objets ont servi de monnaie à travers les âges : perles et grains de colliers, coquillages, roues en pierre... Une monnaie peut prendre n'importe quelle forme ou presque, pourvu que les gens l'acceptent comme mode de paiement.

Monnaie-bague

Rondelles percées

UNE IDÉE QUI VAUT DE L'OR
Dans la Chine du Xe siècle, les gens prirent l'habitude de laisser leurs lourdes pièces de fer en dépôt aux commerçants, en échange de reçus écrits à la main. Ceux-ci furent bientôt utilisés eux-mêmes comme monnaie. Le gouvernement décida alors de reprendre ce système à son compte et imprima des certificats ayant une valeur monétaire officielle. Le billet de banque était né.

Ces chiffres indiquent
la valeur du billet.

Le numéro de série
identifie le billet
et aide à lutter
contre le vol et
la contrefaçon.

Pièces et billets
en dinars tunisiens

L'ÉTALON-OR
Pendant des siècles, la valeur des pièces
et des billets a correspondu à un certain
poids d'or. Avec ce système appelé «étalon-
or», la richesse d'un pays dépendait de
l'importance de ses réserves en or. L'étalon-or
a facilité le commerce international car les
paiements en or étaient acceptés partout.

QU'IL EN SOIT AINSI!
En 1971, le monde entier
a abandonné le principe de la
contrepartie en or des pièces et des
billets. Aujourd'hui, c'est uniquement la
parole des Etats qui certifie la valeur des monnaies.
Ce système monétaire est appelé monnaie fiat
(le mot latin fiat signifie : «que cela soit»).

La puce contient des
informations sur le
porteur de la carte.

Difficiles à imiter,
les hologrammes
empêchent la contrefaçon.

L'aragonite est
une roche calcaire.

PAIEMENT INSTANTANÉ
De nos jours, la plupart des transactions se font en
«monnaie virtuelle». Au lieu que des pièces ou des billets
changent de mains, ce sont des chiffres qui circulent d'un
ordinateur à l'autre. Les cartes bancaires renferment les
données du compte et prouvent l'identité du titulaire. Quand
un client paie avec sa carte de crédit, l'argent est transféré
directement de son compte bancaire à celui du commerçant.

UNE MONNAIE SOLIDE COMME LE ROC
Avant le XXᵉ siècle, les habitants de l'île de Yap, dans le Pacifique,
utilisaient comme monnaie d'énormes roues d'aragonite. Pesant
souvent plusieurs tonnes et mesurant jusqu'à 3 m de diamètre,
ces pierres percées, ou rai, étaient presque impossibles à déplacer.
Il fallait donc se souvenir à qui appartenait chaque rai. Heureusement,
il existait aussi de petites pièces pour les achats quotidiens!

LES MONOPOLES
Un gouvernement ou
une entreprise qui contrôle
la vente d'un produit exerce un
monopole. Cela lui permet de fixer
un prix élevé puisque les clients n'ont
pas le choix d'acheter ailleurs. En 1596,
le monopole sur le sel en Bavière
rapportait au prince 40 % de son revenu.

LE MARCHÉ
La concurrence est une caractéristique
essentielle du marché. Sur un marché
de rue, tout le monde peut comparer
et choisir en regardant les prix
affichés sur les étalages. A condition
qu'il y ait beaucoup de vendeurs et
d'acheteurs, chacun a une chance
de vendre ou d'acheter à des prix
qui lui conviennent.

LES MARCHÉS ET LES PRIX
Comment décide-t-on du prix des choses ? Il arrive que les prix soient
fixés par les gouvernements ou par des monopoles (des entreprises
contrôlant entièrement la vente de certains produits). Mais le plus
souvent, ce sont les marchés qui décident. On appelle marché tout
espace de rencontre entre vendeurs et acheteurs : marché de rue,
magasin, site d'enchères en ligne, marché boursier, etc. Sur un
marché, les prix se décident au fur et à mesure des transactions.
Pour qu'un produit se vende, il faut que son prix convienne à la fois
au vendeur et à l'acheteur. S'il est disponible en grande quantité,
il se vend moins cher que s'il est difficile à trouver.

**Marché en plein air à Kota
Bharu (Malaisie)**

LA FIXATION DES PRIX

Beaucoup de commerçants fixent leurs prix à l'avance et les affichent sur des étiquettes. Dans ce cas, il y a peu de place pour la négociation. Si un produit se vend mal, le commerçant baissera probablement son prix pour avoir plus d'acheteurs. Si au contraire il se vend très bien, il l'augmentera car les clients accepteront sans doute de payer plus cher.

LA VENTE AU PLUS OFFRANT

On voit ci-dessus une vente aux enchères à Londres en 1808. Dans ce type de vente, les prix ne sont pas fixés à l'avance. Chaque objet est vendu à celui qui offre le prix le plus élevé. S'il y a beaucoup d'amateurs pour une chose unique (un tableau ancien, par exemple), elle se vendra cher. Dans le cas contraire, son prix restera bas.

LE MARCHANDAGE

Ces deux Marocains négocient (marchandent) le prix d'un chameau. Le vendeur a en tête un prix minimum, mais espère obtenir plus. L'acheteur s'est fixé un prix maximum, mais espère payer moins. S'ils arrivent à se mettre d'accord, le chameau est vendu.

BEAUX ET RARES, DONC CHERS

Les diamants coûtent cher parce que ce sont des objets rares et désirés. Il y a peu de diamants à vendre pour beaucoup d'acheteurs. Lorsque les gens ont très envie ou absolument besoin d'une chose rare, ils sont prêts à payer un prix très élevé.

PERSONNE N'EN VEUT ?

Quand un constructeur automobile fabrique plus de voitures que les gens ne veulent en acheter au prix qu'il en demande, les économistes disent que l'offre est supérieure à la demande. Pour écouler ses stocks, il devra baisser ses prix. C'est ainsi que les marchés gèrent les surplus, qui sont le contraire des pénuries.

LA TULIPE QUI REND FOU

Quand les gens s'attendent à ce que le prix d'un produit augmente, les investisseurs en achètent beaucoup pour le revendre plus cher. Cela provoque une instabilité des prix. Au XVIIe siècle, les Hollandais se prirent d'une telle passion pour la tulipe qu'un seul bulbe coûta jusqu'à dix fois le salaire annuel d'un travailleur qualifié. Puis le marché s'effondra et les précieux bulbes perdirent toute valeur.

LES MARCHÉS VIRTUELS

Un marché n'est pas toujours un lieu concret. Sur Internet, acheteurs et vendeurs se rencontrent sur les marchés virtuels que sont les sites d'enchères ou les sites comparateurs qui analysent des centaines de boutiques en ligne. Internet héberge de nombreux marchés spécialisés, mais d'une certaine façon tous les internautes forment un seul grand marché mondial.

UN LIEU SÛR

D'une certaine manière, les temples tels que celui de l'ancienne cité d'Hatra (Irak), qu'on voit ci-dessus, ont été les premières banques. Les gens y laissaient leurs biens les plus précieux sous la surveillance payante des gardiens. Avec le temps, les reçus qui permettaient de récupérer les objets déposés devinrent un moyen de paiement pour acheter d'autres biens.

LES BANQUES

Les banques servent à mettre à l'abri l'argent de leurs clients. Mais l'argent qu'on leur confie ne dort pas dans un coffre-fort. Elles en prêtent la plus grande partie à des emprunteurs qui en ont besoin pour créer ou développer une entreprise, ou pour acheter une maison. Si elles peuvent prêter ces fonds, c'est parce qu'il y a très peu de chances que tous les clients veuillent récupérer leur argent en même temps. Les banques gagnent de l'argent en faisant payer aux emprunteurs un pourcentage, appelé «intérêt», sur les sommes qu'elles leur prêtent. Elles s'assurent que les prêts soient intégralement remboursés et refusent, en général, de prêter de l'argent à des gens qui risquent de ne pas pouvoir le rendre. Si elles considèrent que le prêt est risqué, elles demandent un intérêt plus élevé. Quand elles prêtent aux entreprises, elles donnent la préférence à celles qui ont les projets les plus prometteurs, ce qui profite ensuite à l'ensemble de l'économie.

Anciens billets de banque

Pièces

Carnet du banquier

LA BANQUE SUR UN BANC

La banque est apparue en Europe dans l'Italie des XIIᵉ et XIIIᵉ siècles. Dans les villes commerçantes comme Gênes, Venise ou Florence, les prêteurs installaient leur banc (comptoir) sur les places de marché. Si un prêteur n'avait plus d'argent, on brisait son comptoir pour que tout le monde le sache. En italien, «banc brisé» se dit *banca rotta*, qui a donné le mot «banqueroute».

Les armes de la famille des Médicis

Les clés entrecroisées font référence aux papes Médicis.

LES SEIGNEURS DE LA BANQUE

Entre les XIVᵉ et XVIᵉ siècles, les premières familles de banquiers, tels les Médicis, de Florence, s'enrichirent en prêtant de l'argent à des commerces en plein essor. De plus en plus puissants, les Médicis furent bientôt les maîtres de Florence. Grands mécènes, ils financèrent quelques-uns des plus grands chefs-d'œuvre de la peinture et de la sculpture en s'attachant les services d'artistes comme Michel-Ange ou Léonard de Vinci. Trois Médicis furent élus papes. Les armes de la famille ornent toujours de nombreuses façades de Florence.

Les boules symbolisent sans doute des pièces.

Ecu du pape Léon XI, né Alexandre Octavien de Médicis

LES USURIERS

Ce tableau ancien d'un musée de Bilbao (Espagne) représente un usurier, ou prêteur, vérifiant ses comptes. Les usuriers faisaient payer de gros intérêts sur les prêts. Avant l'apparition de la banque moderne, ils jouaient un rôle économique important, mais on ne les aimait guère. L'Eglise interdisait le prêt à intérêt, et la plupart des prêteurs n'étaient donc pas des catholiques.

CONVAINCRE LE BANQUIER

Les banques ne prêtent généralement pas à ceux qui risquent de ne pas pouvoir rembourser. Les candidats-emprunteurs doivent prouver qu'on peut leur faire confiance et que leur projet est solide. Philip Knight et Bill Bowerman, les fondateurs de Nike, n'ont pu commencer à importer des chaussures japonaises aux Etats-Unis qu'après avoir convaincu les banquiers de la First National Bank of Portland de leur prêter de l'argent sur 90 jours.

Chaussures Nike

LES TAUX D'INTÉRÊT

Au XIXe siècle, les fermiers du Nouveau-Mexique pratiquaient le *partido*. Si un fermier prêtait un troupeau de moutons à un voisin, celui-ci le lui rendait l'année suivante en y ajoutant une proportion convenue à l'avance des agneaux nés pendant l'année. De la même façon, les banques modernes fixent un certain taux d'intérêt sur chaque prêt. Elles versent aussi des intérêts aux clients qui épargnent. Les taux d'intérêt influent beaucoup sur l'économie : s'ils augmentent, les gens empruntent moins et épargnent plus ; s'ils baissent, les gens empruntent plus et épargnent moins.

LES BANQUES AUJOURD'HUI

Les banques modernes ne se contentent pas de prêter l'épargne de leurs clients aux particuliers et aux entreprises. Elles investissent aussi pour leur propre compte. Certaines se spécialisent dans des activités comme l'aide au rachat d'entreprises ou les assurances. Les banques et les entreprises qui leur sont proches se regroupent souvent dans le même secteur, comme à Wall Street (New York), à la Défense (France) ou dans le quartier financier de Hong Kong (ci-contre).

La tour de la Bank of China

La tour Citibank Plaza

@▶

Banque

POURQUOI ÉPARGNER?
Dans un monde imprévisible, l'épargne permet de faire face aux accidents de la vie et aux urgences. De la même façon que les écureuils cachent des noisettes pour traverser les rigueurs de l'hiver, les gens économisent en vue de futurs achats ou de dépenses imprévues. Ils épargnent aussi pour compléter leur retraite.

L'ÉPARGNE ET LES INVESTISSEMENTS
Épargner veut dire mettre de l'argent de côté plutôt que de le dépenser tout de suite. On épargne pour pouvoir faire face à des «lendemains difficiles», ou en prévision d'un achat important. On ne prend pas beaucoup de risque en épargnant : l'argent déposé à la banque gagne peu de valeur, mais il est relativement à l'abri si la banque est bien gérée. Investir est plus risqué : cela consiste à acheter des actifs (des biens de valeur) dans l'espoir que leur valeur va augmenter et qu'ils produiront des profits. Les actifs comprennent les actions (p. 30-31) et le capital (l'argent, les équipements et les bâtiments nécessaires à la production). Les investissements sont souvent financés par des emprunts bancaires.

POURQUOI INVESTIR?
L'argent caché sous un matelas ou dans un bocal n'est jamais à l'abri d'un voleur, mais surtout il ne prend pas de valeur. Si les prix augmentent, il va même en perdre. Les gens investissent dans l'espoir de faire un profit, c'est-à-dire de récupérer plus d'argent à la fin qu'ils n'en ont dépensé au départ.

Ces énormes bras robotisés soudent les châssis des voitures.

INVESTIR DANS LES MACHINES
Dans cette usine Hyundai de Pékin (Chine), les châssis sont soudés par des bras robotisés. Ces équipements sophistiqués coûtent cher, mais à long terme l'entreprise en attend un bon retour sur investissement. En effet, cela revient moins cher d'acheter des robots pour faire ces soudures que de payer des ouvriers pour le même travail.

L'IMMOBILIER

Les particuliers peuvent faire toutes sortes d'investissements, par exemple acheter des actions (p. 34-35), des appartements ou des terrains. Pour la plupart d'entre eux, le plus grand investissement de leur vie sera d'acheter une maison pour y habiter. Avantage supplémentaire, elle prendra peut-être de la valeur.

Une partie du barrage de Bonneville, sur le fleuve Columbia, dans l'Oregon (Etats-Unis)

INVESTIR POUR LE BIEN DE TOUS

Les Etats aussi investissent. Ils utilisent l'argent des impôts pour financer des infrastructures comme des barrages, des routes, des ponts ou des centrales électriques. Ces projets profitent à tous et stimulent l'économie. Construire un nouveau pont, par exemple, permet d'alléger les coûts de transport des entreprises locales. Cela peut aussi favoriser le commerce en attirant une clientèle plus éloignée.

LES CHAMPIONS DE L'ÉPARGNE

La Chine a l'un des taux d'épargne les plus élevés du monde. Cela vient de ce que les Chinois doivent payer eux-mêmes leurs frais de santé, leur retraite et les études de leurs enfants, mais c'est aussi une tradition de leur culture. Plus un pays épargne, plus il peut investir et plus son économie se développe.

Ces pièces chinoises symbolisent la prospérité.

Avec Mickey et Minnie à Disneyland Tokyo (Japon)

À LA CONQUÊTE DU MONDE

Les investisseurs font des choix entre des entreprises et des pays du monde entier. Pour prendre leur décision, ils essaient de trouver le juste équilibre entre le risque (la possibilité que les choses se passent moins bien que prévu) et la meilleure rentabilité possible. La firme américaine Walt Disney Company a pris une dimension internationale en investissant dans des parcs de loisirs en Europe et en Asie.

IMPORTER PEUT COÛTER CHER
Quand un pays achète aux autres pays plus de biens et de services qu'il ne leur en vend, le taux de change de sa monnaie chute. Le Bangladesh, par exemple, importe d'énormes quantités de riz. Cela pèse fortement sur le cours de sa monnaie, le taka bangladais, car il doit convertir beaucoup de takas en devises étrangères pour acheter leur riz aux producteurs étrangers.

LES MONNAIES ET LES TAUX DE CHANGE

La plupart des États possèdent leur propre monnaie (leurs billets et leurs pièces). Quand on va à l'étranger, on doit changer son argent dans la monnaie du pays de destination. Les touristes achètent cette monnaie (ou «devise») étrangère avec la monnaie de leur propre pays à un certain prix : le taux de change, ou «cours». Les taux de change varient tous les jours parce que, comme la plupart des prix, ils sont déterminés par un marché : celui des acheteurs et des vendeurs de devises. Si tout le monde demande des roupies indiennes, leur prix augmente. Si personne ne veut de dollars américains, le dollar baisse. Les États tentent souvent de contrôler les taux de change, en vendant ou en achetant eux-mêmes des devises, ou en limitant la quantité d'argent qui entre dans le pays ou en sort. Ils peuvent même fixer le taux de change de leur monnaie en alignant sa valeur sur une autre monnaie – généralement le dollar américain.

@▶▶
Taux de change

POUR QUELQUES DOLLARS DE PLUS
Le marché des changes se tient principalement sur les grandes places financières que sont les Bourses de New York, Londres ou Tokyo. Ces marchés brassent plus d'un billion (un million de millions) de dollars par jour. Les banques, les entreprises et les États qui vendent et achètent des devises y participent, mais la plupart des transactions sont faites par les spéculateurs de devises. Ces *traders* essaient de prévoir comment va évoluer le cours des devises et gagnent de l'argent quand leur prévision tombe juste.

Avec ces deux piles de roupies indiennes, on achète 1 livre sterling qui vaut environ 1,15 euro.

DES COURS VARIABLES
Quand la valeur d'une monnaie est déterminée par les marchés, on dit que son taux de change est flottant. La roupie indienne, qui a un taux de change flottant, change de valeur tous les jours par rapport aux autres monnaies. Sur de longues périodes, les taux de change peuvent varier énormément. En 2001, il fallait 0,90 dollar pour acheter 1 euro ; en 2008, 1,47 dollar.

L'ARGENT DES VACANCES

Ceux qui voyagent à l'étranger ont besoin d'argent en monnaie du pays pour payer leurs dépenses quotidiennes et acheter des souvenirs tels que ces poupées russes. Les bureaux de change vendent et achètent des devises aux touristes. On les trouve souvent dans les banques, les agences de voyages et les aéroports. Ils gagnent de l'argent en facturant une commission à leurs clients et en revendant les devises plus cher qu'ils ne les achètent.

LES CHANGEURS À LA SAUVETTE

Lorsque c'est l'Etat qui fixe le taux de change de la monnaie, on peut voir apparaître un marché illégal ou « marché noir ». Cela se produit parce que le cours officiel est trop haut ou trop bas ; les gens s'adressent alors à des changeurs clandestins pour essayer d'obtenir un meilleur prix. Ces changeurs afghans vendent des afghanis, la monnaie nationale, dans les rues de Kaboul.

L'ARGENT N'A PAS DE FRONTIÈRES

Devoir changer des devises continuellement coûte cher, et les variations imprévisibles des prix à l'importation et à l'exportation pénalisent aussi les entreprises. Pour résoudre ce problème, la plupart des Etats de l'Union européenne ont formé une union monétaire et adopté une monnaie commune, l'euro. L'inconvénient de l'union monétaire est qu'elle empêche les Etats-membres de mener des politiques différentes pour traiter leurs problèmes financiers particuliers.

UNE MONNAIE INDEXÉE

Plutôt que de laisser flotter leur monnaie, certains Etats adoptent un taux de change fixe pour stabiliser leur économie et sécuriser leurs échanges commerciaux avec l'étranger. Entre 1998 et 2005 – années d'incertitude financière –, le ringgit malaisien a été indexé (aligné) sur le dollar américain.

LES ENTREPRISES

Une entreprise est un groupe de plusieurs personnes qui vendent ou fabriquent quelque chose ensemble. Le but d'une entreprise est généralement de faire le plus de bénéfice possible. Le bénéfice est l'argent qu'il reste une fois que l'entreprise a payé toutes ses charges (dépenses). Le principal avantage de l'entreprise par rapport à la production individuelle est de permettre des économies d'échelle : plus on produit, plus on réduit le coût de production de chaque article. C'est également vrai pour les coûts de transaction (les dépenses liées aux achats et aux ventes). Pour financer de nouveaux projets, les propriétaires d'une entreprise peuvent vendre des actions (des parts) de l'entreprise. Celle-ci appartient alors en partie aux actionnaires, mais est gérée par un conseil d'administration.

COMME DES PETITS PAINS
Une société qui possède une chaîne de boutiques de hot-dogs en vend plus qu'un vendeur travaillant seul. En achetant les ingrédients en grandes quantités, elle peut aussi négocier de meilleurs prix avec les fournisseurs et accroître ainsi ses bénéfices.

La flèche surmontant la pagode à cinq niveaux

L'une des trois portes du temple

LA DOYENNE
Rachetée par la Takamatsu Corporation en 2006, la société de construction Kongo Gumi d'Osaka (Japon) était la plus vieille entreprise du monde. Créée en 578 apr. J.-C., elle était spécialisée dans la construction des temples japonais, comme le temple bouddhique Shitenno-ji qu'on voit ci-dessus.

LA RESPONSABILITÉ LIMITÉE
Les actionnaires d'une société « à responsabilité limitée » (SARL) ne sont pas légalement tenus de payer ses dettes en cas de faillite. Cette formule, qui encourage les entreprises à prendre des risques, a aidé la British East India Company (Compagnie britannique des Indes orientales) à devenir l'entreprise la plus riche du XVIIIe siècle grâce au commerce des marchandises indiennes.

Emblème de la British East India Company

Le siège historique de la BBC à Londres

AU SERVICE DU PUBLIC
Le but de la plupart des entreprises est de faire des bénéfices pour les reverser à leurs propriétaires et actionnaires. Mais d'autres sont uniquement destinées à fournir des services au public ou à défendre certaines convictions. Des sociétés à but non lucratif comme la British Broadcasting Corporation (BBC), la radio-télévision en Grande-Bretagne, sont obligées par la loi de réinvestir dans leur activité la totalité de leurs bénéfices.

QUI DIRIGE ?
La gestion quotidienne d'une entreprise est assurée par sa direction générale. Cette direction générale est elle-même sous le contrôle des administrateurs. Siégeant dans un conseil d'administration, ceux-ci sont responsables des grandes orientations et de la bonne tenue des comptes. Si l'entreprise a des actionnaires, ils ont leur mot à dire dans le choix des administrateurs ; si elle appartient directement à ses propriétaires, ce sont eux qui nomment les administrateurs.

LES MULTINATIONALES

Les entreprises implantées dans plus d'un pays s'appellent des compagnies multinationales. L'une des plus connues, Coca-Cola, a des usines dans une centaine de pays. Cet empire international qui vaut plus de 100 milliards de dollars est dirigé depuis son siège d'Atlanta (Etats-Unis).

Les fondateurs de Google, Larry Page et Sergey Brin

Membre d'une tribu africaine buvant du Coca-Cola

LA CULTURE D'ENTREPRISE

L'état d'esprit qu'une entreprise arrive à développer parmi ses salariés peut être une clé de son succès. Les bureaux du moteur de recherche Google comportent de nombreuses installations de sport et de loisirs qui créent une atmosphère de détente très propice à la créativité.

Voiture General Motors commercialisée sous la marque allemande Opel

GRANDIR N'EST PAS SANS RISQUES

Beaucoup d'entreprises cherchent à se développer pour accroître leurs ventes et leurs bénéfices. Certaines le font en lançant de nouvelles activités. D'autres rachètent des concurrents pour fusionner avec eux. Cela peut s'avérer risqué : la société automobile américaine General Motors est devenue gigantesque en absorbant d'autres constructeurs, comme l'Européen Opel. Mais en gérant simultanément trop de marques elle a commis des erreurs qui ont causé sa faillite en 2009.

Fers et chaîne d'esclave

L'ESCLAVAGE

Un esclave est une personne qui appartient à une autre personne. Il est considéré comme un bien matériel. L'esclavage a joué un rôle important dans l'histoire économique de l'Antiquité grecque et romaine, de l'Europe du Moyen Age au XIXe siècle et des Etats-Unis des XVIIIe et XIXe siècles. Aujourd'hui, il est interdit presque partout.

LA MAIN-D'ŒUVRE

Le travail est la base de l'économie. Sans lui, rien ne se fabrique, rien ne se transporte. Labourer un champ, taper une lettre, dessiner une maison, tout cela, c'est du travail. Dans la plupart des pays, il est organisé par le marché. Les travailleurs reçoivent un salaire et disposent d'un contrat. Ceux qui ont des compétences rares et ceux qui se regroupent en syndicats arrivent à obtenir de meilleurs salaires. Mais ceux qui ont des compétences ordinaires et peu recherchées sont obligés d'accepter de petits salaires et risquent même de connaître le chômage.

@ ▶▶ Main-d'œuvre

Armes de la Société des étameurs de New York, 1788

Cafetière en étain

SOLID AND PURE

LES GUILDES

Dans certaines économies pré-industrielles, les travailleurs qualifiés (tailleurs, orfèvres, etc.) se regroupaient en guildes, ou confréries, auxquelles l'Etat donnait certains pouvoirs et un emblème. Les guildes sélectionnaient leurs membres, seuls autorisés à pratiquer le métier. Elles fixaient les règles, et souvent les salaires, de la profession.

Symbole de la lutte syndicale : une clé, travail des ouvriers, dans les rouages de l'usine

Le poing serré représente la force et l'unité des ouvriers.

Manifestation d'ouvriers allemands de l'automobile

L'OFFRE ET LA DEMANDE
En économie de marché, le travail a un prix. Les salariés vendent leur temps et leurs compétences contre un salaire. Quand la main-d'œuvre est rare, les salaires augmentent. Quand elle est nombreuse, comme en Chine actuellement, ils baissent. La forte croissance de l'économie chinoise au cours des dernières années est en partie due à l'abondance de la main-d'œuvre, et donc au faible niveau des salaires, qui permet des coûts de fabrication très bas.

L'assemblage des ordinateurs dans une usine d'électronique de Shenzhen (Chine)

LES PAYSANS SANS TERRES
Cette Thaïlandaise récolte du riz. Les paysans représentent plus de 40 % de la main-d'œuvre mondiale. La plupart d'entre eux travaillent pour un petit nombre de grands propriétaires terriens. Certains paysans peuvent louer quelques parcelles à un propriétaire. En contrepartie, ils doivent lui reverser une part de leur récolte ou aller travailler sur ses terres.

L'architecte doit savoir dessiner les plans, diriger leur exécution et expliquer son projet.

LES DROITS SOCIAUX
Les syndicats sont nés d'actions collectives menées par les travailleurs pour défendre leurs intérêts. Dans les pays en développement, les syndicats luttent contre les mauvaises conditions de travail et les bas salaires. Dans les pays riches, ils sont parfois assez puissants pour obtenir des augmentations. Ils poursuivent leurs objectifs en négociant avec les entreprises et les gouvernements, en défendant les salariés devant la justice ou en organisant des manifestations. Ils peuvent même décider la grève (l'arrêt collectif du travail).

Les organisations ouvrières utilisent le drapeau rouge depuis plus d'un siècle.

LA MAIN-D'ŒUVRE QUALIFIÉE
Pourquoi les architectes gagnent-ils plus que les maçons ? Ici encore, c'est une question d'offre et de demande. On a toujours besoin d'architectes et de maçons parce qu'on construit sans cesse de nouveaux bâtiments. Mais comme il faut près de dix ans pour former un architecte, on trouve beaucoup moins d'architectes que de maçons. C'est la raison pour laquelle leurs services se payent plus cher.

LE DROIT DU TRAVAIL
Cette Mexicaine est soudeuse dans une usine, un emploi autrefois réservé aux hommes. Certains Etats ont aujourd'hui des lois qui interdisent de refuser un emploi à quelqu'un à cause de son sexe, de son origine ou de son handicap. L'Etat peut aussi imposer un salaire minimum pour empêcher l'exploitation des plus pauvres.

ACTIONS ET OBLIGATIONS

Il existe deux formes d'investissement très répandues : les actions et les obligations. En achetant des actions d'une société, on achète une partie de son capital. Quand la société prend de la valeur, l'action en prend aussi ; quand elle en perd, l'action baisse. Le conseil d'administration peut décider de verser à ses actionnaires une part (le dividende) des bénéfices. Les investisseurs qui achètent des obligations d'une entreprise n'achètent pas une partie de celle-ci. En réalité, ils lui prêtent de l'argent. En contrepartie, l'entreprise s'engage à leur verser un intérêt (le coupon) à intervalles réguliers, et à leur rembourser la somme initiale à une date convenue. Pour collecter de l'argent, les États émettent aussi des obligations. Ces obligations d'État sont un investissement sûr car les États risquent moins de faire faillite. Elles rapportent donc un intérêt plus faible.

L'INTRODUCTION EN BOURSE
Lorsqu'une entreprise arrive pour la première fois sur le marché boursier pour y vendre ses actions, elle doit effectuer ce qu'on appelle une introduction en Bourse. Ce certificat d'action a été émis en 1909 par l'International Steam Pump Company, du New Jersey (Etats-Unis), à l'occasion de son introduction en Bourse. Certains professionnels se spécialisent dans l'achat de ces nouvelles actions car ils espèrent les revendre rapidement avec un bénéfice. Surnommés les « loups », ils font souvent de bonnes affaires car les entreprises qui arrivent en Bourse fixent un prix initial assez bas pour être sûres de vendre toutes leurs actions.

LA BOURSE
La Bourse est un marché où l'on vend et achète des actions. Aujourd'hui, ce marché se tient dans d'imposants bâtiments situés dans les grandes villes du monde ainsi que sur quelques sites Internet spécialisés. Avant la création des Bourses, il n'existait pas d'endroit réservé au commerce des actions. Au XVIIIe siècle, les courtiers (vendeurs d'actions) londoniens exerçaient leur activité dans des cafés.

@ ►►
Bourse

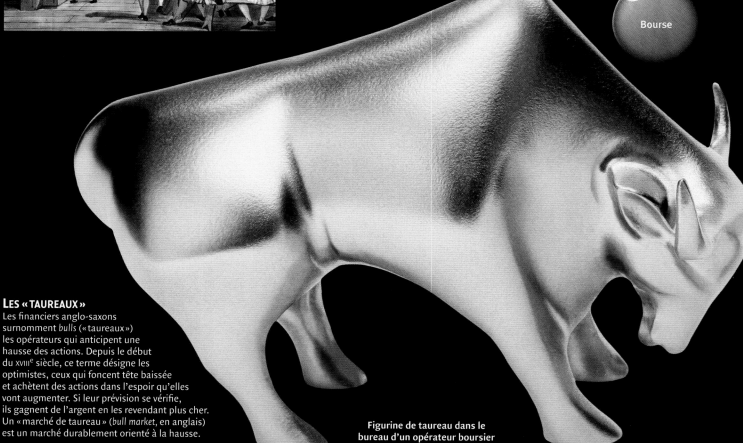

LES « TAUREAUX »
Les financiers anglo-saxons surnomment *bulls* (« taureaux ») les opérateurs qui anticipent une hausse des actions. Depuis le début du XVIIIe siècle, ce terme désigne les optimistes, ceux qui foncent tête baissée et achètent des actions dans l'espoir qu'elles vont augmenter. Si leur prévision se vérifie, ils gagnent de l'argent en les revendant plus cher. Un « marché de taureau » (*bull market*, en anglais) est un marché durablement orienté à la hausse.

Figurine de taureau dans le bureau d'un opérateur boursier

LES INDICES BOURSIERS

Toutes les variations du cours des actions qui s'affichent sur cet écran peuvent se résumer à un simple chiffre, qu'on appelle un indice boursier. L'indice, qui évolue constamment, mesure en temps réel la valeur moyenne d'une sélection («panier») d'actions. Les investisseurs savent ainsi comment se comportent leurs actions par rapport à cette référence. L'indice Dow Jones suit les actions de trente des plus grandes sociétés américaines, le NASDAQ, celles des principales entreprises technologiques, et le CAC 40, celles de 40 entreprises cotées à Paris.

L'EMPRUNT DE LA LIBERTÉ

Les Etats lancent parfois des emprunts pour financer des projets de développement, mais aussi des guerres. On voit ci-dessus une publicité pour les «bons de la liberté», émis par le gouvernement américain en 1917-1918 pour faire face au coût de la Première Guerre mondiale. Ces obligations rapportaient un intérêt de 3,5 à 4,5 % par an.

LE MARCHÉ DES ACTIONS

Une introduction en Bourse, dans laquelle une entreprise vend directement ses actions aux actionnaires, est un exemple de ce qu'on appelle un marché primaire. Sur les marchés secondaires, les opérateurs vendent et achètent des actions, généralement pour le compte de quelqu'un d'autre. Ces marchés peuvent être très actifs, comme on le voit ci-dessus à la Bourse de Chicago où une foule d'opérateurs et de commis s'interpellent du geste et de la voix pour négocier les prix et vendre ou acheter des actions.

Figurine d'ours

LES «OURS»

Les «ours» (ou *bears*, en anglais) sont les opérateurs qui parient sur une baisse des actions. Cette attitude qui peut paraître pessimiste ne les empêche pas de gagner de l'argent. Pour ce faire, ils vendent «à découvert», c'est-à-dire qu'ils revendent des actions qui ne leur appartiennent pas encore en convenant avec l'acheteur de les lui livrer plus tard. Si les prix baissent, ils empochent un bénéfice en rachetant ces mêmes actions moins cher qu'ils ne les ont vendues.

LE RISQUE ET LA SPÉCULATION

La perspective d'un gain élevé conduit quelquefois les gens à risquer leur argent dans des placements ou des montages financiers hasardeux. Cela s'appelle de la spéculation. On spécule quand on parie sur la valeur future d'un bien en espérant gagner beaucoup d'argent. Les spéculateurs parient aussi bien sur la baisse que sur la hausse du prix des choses. Dans les deux cas, s'ils gagnent leur pari, ils récupèrent plus d'argent qu'ils n'en ont misé. Mais lorsqu'ils se trompent, les conséquences peuvent être fâcheuses, surtout s'ils avaient emprunté l'argent qu'ils ont joué. Alors que les investisseurs choisissent des placements qui produisent des richesses à long terme, les spéculateurs prennent des risques dans l'espoir d'un profit exceptionnel. La spéculation est un facteur d'instabilité des prix et de désordres financiers : ainsi, quand les spéculateurs se mettent à acheter des logements en misant sur une hausse, ils agissent eux-mêmes sur la demande et finissent par provoquer une flambée des prix.

LA RUÉE VERS L'OR

En 1848, on trouva par hasard des pépites d'or dans le moulin à eau d'une scierie de Coloma, en Californie. Bientôt, des gens venus de toute l'Amérique et des quatre coins du monde affluèrent par centaines de milliers. Cette découverte fit monter en flèche le prix des terrains susceptibles de renfermer le précieux métal. Certains chercheurs d'or firent fortune – surtout parmi les premiers arrivés –, mais beaucoup d'autres perdirent de l'argent une fois que les filons commencèrent à s'épuiser. En tout cas, la ruée vers l'or marqua un tournant dans l'économie de la Californie en créant de nouveaux marchés et en faisant passer la population de 100 000 à 380 000 habitants en dix ans à peine.

 Courtier

 Investisseur

LA BULLE DES MERS DU SUD

En 1720, l'Angleterre céda à la fièvre boursière. Le gouvernement accorda à la Compagnie des mers du Sud un monopole sur le commerce avec l'Amérique du Sud, provoquant ainsi une hausse subite du prix de ses actions. Elles se vendirent si bien qu'elles devinrent bientôt introuvables, et l'euphorie du marché s'étendit aux actions d'autres sociétés. Quand la compagnie s'avéra moins rentable que prévu, la bulle se dégonfla, entraînant l'effondrement des cours et la ruine de nombreux investisseurs. Ci-dessus, la vente des actions dans un café d'Exchange Alley, à Londres.

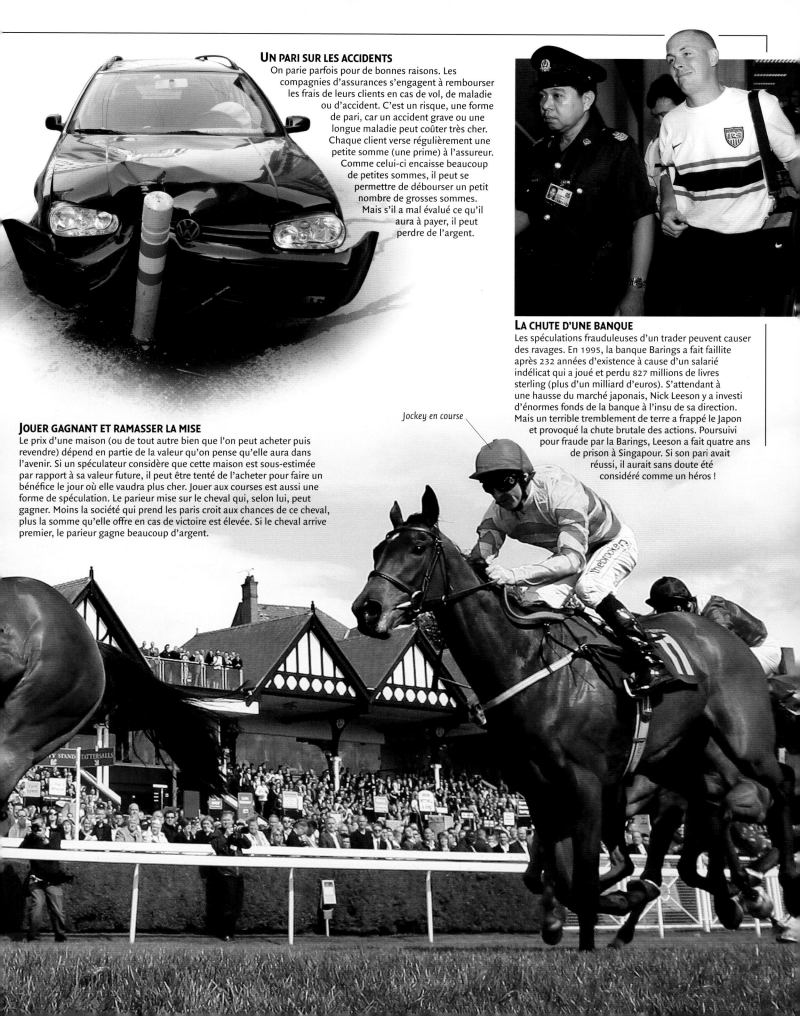

UN PARI SUR LES ACCIDENTS

On parie parfois pour de bonnes raisons. Les compagnies d'assurances s'engagent à rembourser les frais de leurs clients en cas de vol, de maladie ou d'accident. C'est un risque, une forme de pari, car un accident grave ou une longue maladie peut coûter très cher. Chaque client verse régulièrement une petite somme (une prime) à l'assureur. Comme celui-ci encaisse beaucoup de petites sommes, il peut se permettre de débourser un petit nombre de grosses sommes. Mais s'il a mal évalué ce qu'il aura à payer, il peut perdre de l'argent.

LA CHUTE D'UNE BANQUE

Les spéculations frauduleuses d'un trader peuvent causer des ravages. En 1995, la banque Barings a fait faillite après 232 années d'existence à cause d'un salarié indélicat qui a joué et perdu 827 millions de livres sterling (plus d'un milliard d'euros). S'attendant à une hausse du marché japonais, Nick Leeson y a investi d'énormes fonds de la banque à l'insu de sa direction. Mais un terrible tremblement de terre a frappé le Japon et provoqué la chute brutale des actions. Poursuivi pour fraude par la Barings, Leeson a fait quatre ans de prison à Singapour. Si son pari avait réussi, il aurait sans doute été considéré comme un héros !

Jockey en course

JOUER GAGNANT ET RAMASSER LA MISE

Le prix d'une maison (ou de tout autre bien que l'on peut acheter puis revendre) dépend en partie de la valeur qu'on pense qu'elle aura dans l'avenir. Si un spéculateur considère que cette maison est sous-estimée par rapport à sa valeur future, il peut être tenté de l'acheter pour faire un bénéfice le jour où elle vaudra plus cher. Jouer aux courses est aussi une forme de spéculation. Le parieur mise sur le cheval qui, selon lui, peut gagner. Moins la société qui prend les paris croit aux chances de ce cheval, plus la somme qu'elle offre en cas de victoire est élevée. Si le cheval arrive premier, le parieur gagne beaucoup d'argent.

LES BOOMS ET LES CRISES

L'activité économique a ses hauts et ses bas. Une phase de croissance, où l'on voit des entreprises se créer et des gens gagner beaucoup d'argent, peut déboucher sur une période de boom économique. Le boom est souvent suivi d'une crise, une phase de ralentissement qui provoque des faillites d'entreprises et du chômage. Lorsque cette situation se prolonge, on parle de récession. À l'origine des booms et des crises, on trouve généralement des événements marquants, comme l'arrivée d'une innovation technique ou une mauvaise récolte. Ces phases extrêmes de l'activité sont jugées néfastes parce qu'elles provoquent de l'instabilité à long terme. Les États cherchent au contraire à favoriser une croissance stable et continue.

COMME DES MOUTONS !

En 1873, la Bourse de New York subit de plein fouet la faillite de la banque qui finançait la construction du chemin de fer du Nord-Pacifique. Beaucoup d'épargnants ayant investi de grosses sommes dans ce projet, la panique gagna l'ensemble du marché et le cours des actions s'effondra. Comme un mouton suivant le troupeau, chacun se précipitait pour retirer son argent de la banque et tentait de vendre ses actions.

Scène de panique devant la Bourse de New York lors du krach de 1873

L'ESSOR DES COMMUNICATIONS

Dans les années 1920, la radio et le téléphone ouvrirent une ère de communications faciles et rapides. L'augmentation d'activité liée à ces progrès se transforma bientôt en boom économique. Cette période de grande prospérité est connue sous le nom d'«Années folles». On voit ci-dessus un téléphone de l'époque en Bakélite (l'un des premiers plastiques).

LA GRANDE DÉPRESSION

Une dépression est une forme extrême de récession, marquée par une baisse spectaculaire de l'activité économique et un chômage massif. Pendant la Grande Dépression des années 1930, la production mondiale diminua d'un tiers et le taux de chômage atteignit ou dépassa les 25 % dans tous les grands pays. Cette dépression, la plus grave de l'histoire, débuta en 1929 avec l'effondrement des cours de la Bourse de New York, le célèbre «krach de Wall Street» (du nom de la rue du quartier des affaires où se trouve la Bourse).

Des chômeurs font la queue pour manger gratuitement à une soupe populaire de New York pendant la Grande Dépression.

LES ROIS DU JOUET

Toujours éprouvantes, les récessions et les dépressions peuvent cependant se révéler bénéfiques à long terme. Elles éliminent les entreprises les moins solides et obligent à moderniser les méthodes de travail. Ruinée par la Seconde Guerre mondiale, l'économie japonaise est repartie de zéro et a connu une croissance exceptionnelle dans la période 1960-1990. Son industrie du jouet est l'une de ses plus belles réussites.

Un jouet-robot japonais

Le pic indique la période du boom.

Phase d'effondrement du marché

La récession de 2008-2009

Progression régulière du marché

La courbe de l'indice NASDAQ retrace le boom et la chute des valeurs technologiques.

LA BULLE INTERNET

Dans les années 1990, les entreprises du secteur d'Internet et de l'informatique ont connu une énorme bulle spéculative. Attirés par les multiples possibilités d'Internet, les investisseurs ont misé plus d'argent sur les «valeurs technologiques» qu'ils ne pouvaient espérer en gagner. L'éclatement de la bulle Internet leur a fait perdre des milliards.

LES ÉCONOMIES DU TIGRE

Ces navires appartiennent à la société Samsung Heavy Industries, l'une des plus prospères de Corée du Sud. La construction navale a fortement contribué au récent boom économique du pays. Avec d'autres Etats asiatiques ayant connu une croissance comparable dans les années 1980-1990, la Corée du Sud fait partie des «Tigres» d'Asie, les économies les plus dynamiques.

Ces vraquiers flambant neufs, en Corée du Sud, sont le signe d'une économie florissante.

LA CRISE DU CRÉDIT

Les économies déposées dans les banques sont prêtées aux particuliers et aux entreprises. Quand les emprunteurs ne peuvent plus rembourser, les banques commencent à manquer d'argent et réduisent leurs prêts afin de garder assez de liquidités pour rembourser les épargnants qui voudraient retirer leurs fonds. Si les banques ne prêtent plus, les gens ne peuvent plus emprunter : il y a crise du crédit. Des familles qui veulent acheter une maison aux entreprises qui doivent financer la construction d'une usine, c'est toute l'économie qui en pâtit. En 2008, une crise mondiale du crédit a éclaté à cause des montants considérables prêtés à des gens incapables de les rembourser. Les États ont dû dépenser des fortunes pour renflouer les banques et éviter l'effondrement de toute l'économie. Les contribuables vont en payer le prix pendant des années.

LA CHUTE DES COURS
La crise du crédit a provoqué l'effondrement des marchés financiers dans le monde entier, affectant gravement les entreprises qui souhaitaient augmenter leurs fonds par l'émission de nouvelles actions, puisque ces actions ont perdu beaucoup de leur valeur. Des millions d'épargnants dont l'argent était placé dans des fonds destinés à financer les retraites dans certains pays et investis en actions ont aussi subi de lourdes pertes.

DES EMPRUNTEURS À LA RUE
La crise du crédit de 2008 trouve sa source dans le marché américain du crédit immobilier (le type de prêt qui sert à acheter une maison). Si l'emprunteur ne paye plus ses mensualités, la banque peut revendre la maison. Aux Etats-Unis, les banques ont accordé des prêts à haut risque (dits *subprime*) à des emprunteurs peu capables de les rembourser. Ces prêts étaient garantis par le bien lui-même acheté avec un taux d'intérêt progressif : bas au début et de plus en plus élevé. Tant que les prix de l'immobilier augmentaient, les banques étaient sûres de récupérer une somme supérieure au montant du prêt en revendant si besoin les maisons des « mauvais payeurs ». Quand les prix des maisons ont commencé à baisser, car il n'y avait plus d'acheteurs solvables, elles ont tenté de réduire leur risque en regroupant ces prêts avec des prêts plus sûrs pour les revendre à d'autres banques (titrisation), ce qui a propagé la crise.

Cette maison a été abandonnée par son propriétaire qui a été obligé de la quitter car il était incapable de payer les mensualités de son prêt immobilier.

UN ÉTAT FAIT FAILLITE

L'Islande a été particulièrement touchée par la crise du crédit, car ce petit pays de l'Atlantique Nord s'était fait une spécialité des activités bancaires à haut risque. Avant de faire faillite, ses trois principales banques avaient accumulé une dette égale à plus de six fois le PIB (p. 44-45) islandais. Cette situation a contraint le gouvernement à démissionner et fait perdre les deux tiers de sa valeur à la monnaie nationale.

Une employée licenciée par Lehman Brothers quitte son bureau.

LES ÉTATS À LA RESCOUSSE

Le 13 septembre 2007, de longues files d'attente se forment devant les agences de la banque britannique Northern Rock. Le bruit court qu'elle est en difficulté. En une journée, les clients retirent plus d'un milliard de livres, obligeant le gouvernement à garantir intégralement les dépôts de la banque. La banque sera nationalisée six mois plus tard. Pendant la crise, les Etats du monde entier ont renfloué les banques en leur prêtant de quoi rembourser leurs clients.

Le président des Etats-Unis, Barack Obama

DES BANQUES EN FAILLITE

En septembre 2008, la banque d'affaires américaine Lehman Brothers s'est déclarée en faillite après avoir accumulé plus de 600 milliards de dollars de dettes. Elle possédait pourtant des milliards de dollars d'actifs, mais n'a pas pu en vendre assez pour payer ses intérêts de remboursement. Cette faillite sans précédent a coûté leur emploi aux milliers d'employés de cette banque.

Le secrétaire américain au Trésor, Timothy Geithner

DES CONTRÔLES PLUS STRICTS

L'une des principales causes de la crise du crédit a été le manque de contrôle des Etats sur les grandes banques. Faute d'une réglementation stricte, celles-ci se sont livrées à des pratiques dangereuses pour l'économie tout entière. Elles ont incité leurs employés à prendre des risques en récompensant leurs performances par d'énormes bonus et ont accordé des prêts à des entreprises et à des particuliers incapables de les rembourser. Dans l'avenir, elles devront accroître leurs capitaux propres (réserves) pour faire face aux imprévus. Les dirigeants des principales économies mondiales étudient encore ensemble de nouvelles règles de fonctionnement du secteur financier sans que de vraies décisions de contrôle aient été prises.

« Liquidation des stocks avant fermeture. Tout doit disparaître ! »

L'EFFET BOULE DE NEIGE

Dans une économie où tout circule, les problèmes d'un secteur peuvent rapidement s'étendre aux autres. C'est ce qui est arrivé pendant la crise du crédit de 2008. Les difficultés de quelques prêteurs immobiliers qui s'étaient spécialisés dans les prêts à haut risque pour maximiser leurs gains ont provoqué une réaction en chaîne. Tous les secteurs économiques ou presque ont été touchés. Pour compenser leurs pertes, les banques ont réduit l'offre de crédit, ce qui a conduit beaucoup d'entreprises à la faillite.

NOTRE PAIN QUOTIDIEN
Les Etats peuvent subventionner
(payer une partie du coût) des produits
de première nécessité pour que leur prix
reste accessible à tous. Le gouvernement
égyptien subventionne la fabrication
du pain. S'il ne le faisait pas, les plus
pauvres n'arriveraient pas à se nourrir.

LE RÔLE DE L'ÉTAT

De la protection des frontières à la construction des routes,
de l'enseignement à l'aide sociale aux plus démunis, l'État assume une
quantité de missions trop délicates ou trop dangereuses pour être confiées
à des entreprises privées. Il finance et dirige lui-même les forces de l'ordre,
car un particulier qui aurait autorité sur la police pourrait l'utiliser à son
profit plutôt que dans l'intérêt général. L'État peut apporter aussi une aide
aux plus pauvres pour se nourrir, se vêtir et se loger. Les particuliers et
les entreprises ne pourraient remplir ces missions qui ne font pas gagner
d'argent. C'est donc l'État qui s'en charge, grâce aux pouvoirs que lui donne
la loi et aux ressources qu'il tire des impôts.

L'ÉCOLE GRATUITE
Dans de nombreux pays
l'Etat assure la gratuité de
l'enseignement afin de former
des citoyens instruits et
compétents. Les familles les
plus pauvres peuvent ainsi
envoyer leurs enfants à l'école.
Pour ces élèves vietnamiens,
l'école primaire est gratuite. Dans
la plupart des pays développés,
l'enseignement ne devient payant
qu'à l'entrée à l'université.

LA PROTECTION SOCIALE
Pour protéger la santé et le bien-être
de leurs citoyens, les Etats peuvent
notamment financer les hôpitaux grâce
à l'argent des impôts ou verser des
allocations aux chômeurs. Certains pays
développés ont une politique d'aide aux
personnes âgées. Ils construisent des
maisons de retraite, versent des retraites
et assurent la gratuité des soins.

LA SÉCURITÉ NATIONALE
Il existe des particuliers et des entreprises qui auraient les moyens de posséder
une armée, mais aucun Etat ne les y autoriserait car cela conduirait à des guerres
civiles. La solde (le salaire), l'uniforme et l'armement de ces cadets de l'armée
américaine sont payés par leur gouvernement.

Le pont suspendu le plus long du monde, le pont Akashi-Kaikyo, mesure   m de long et supporte six voies de circulation. Sa construction a coûté 3,5 milliards d'euros au gouvernement japonais. La plupart des Etats ont en charge la construction et l'entretien de leurs infrastructures (routes, ponts, chemins de fer...). Ces équipements qui profitent à toute l'économie sont trop coûteux pour être financés par les entreprises.

L'ÉNERGIE POUR TOUS

Si une entreprise est seule à produire quelque chose d'aussi essentiel que l'électricité, rien ne l'empêche de vendre sa production très cher, car les consommateurs ne peuvent pas changer de fournisseur. Pour éviter ce risque, les Etats peuvent soit nationaliser l'industrie en question (en prendre le contrôle), soit imposer des prix raisonnables, soit adopter des lois qui encouragent d'autres entreprises à produire la même chose pour créer de la concurrence. En Allemagne, l'électricité est produite par des compagnies privées, mais elles sont étroitement contrôlées par le gouvernement. Dans l'Union européenne les gouvernements ont décidé d'ouvrir à la concurrence les marchés de l'énergie. Cette décision n'est pas sans poser des questions sur le contrôle et la sécurité des usines et des réseaux de distribution ainsi que sur le niveau des prix rendus libres et l'égalité des citoyens-clients.

Illumination nocturne
du pont Akashi-Kaikyo
à Kobé (Japon)

43

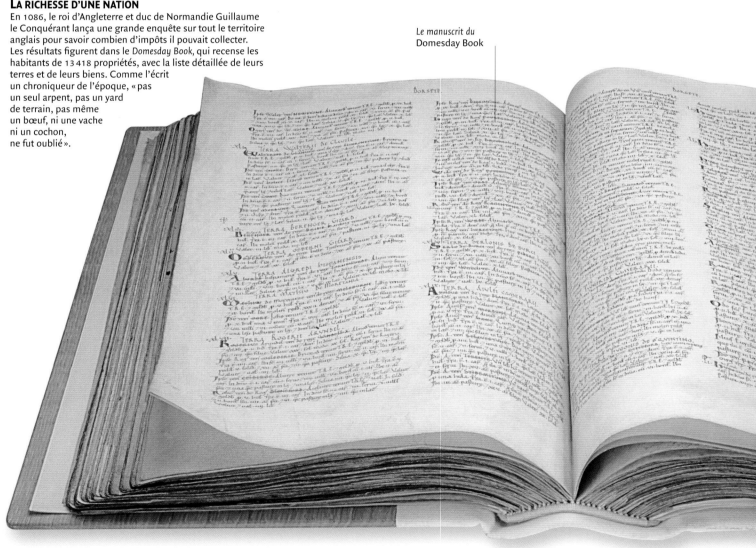

MESURER L'ÉCONOMIE

Pour savoir comment se porte l'économie, il faut mesurer ses performances. En comparant dans la durée plusieurs indicateurs, les États peuvent s'assurer que leur politique économique donne de bons résultats ou décider de la modifier. L'un de ces indicateurs est le produit intérieur brut (PIB), qui mesure la valeur totale des biens et services produits dans un pays pendant une année. Cependant, il est difficile de comparer entre eux les revenus de pays de taille différente. C'est pourquoi on utilise aussi le PIB par habitant (PIB divisé par le nombre d'habitants du pays). Les États calculent en outre le taux d'inflation (la hausse des prix), le taux de chômage (le nombre de personnes sans emploi), et évaluent le niveau des établissements d'enseignement. Ils contrôlent chaque année l'état des dépenses publiques et s'efforcent de prévoir leur évolution.

LE PIB ET LA CROISSANCE

Ce graphique révèle que le PIB du Brésil a presque triplé entre 2000 et 2007. Mesurer le PIB sur de longues périodes permet d'observer les variations de l'activité économique. Cela aide le gouvernement à planifier son action et les investisseurs à faire leurs choix. La croissance enrichit les entreprises, augmente les ressources de l'État et améliore le niveau de vie. Mais si elle est trop rapide, elle peut entraîner des bulles spéculatives qui se terminent par des crises dévastatrices (p. 36-39).

LA RICHESSE D'UNE NATION

En 1086, le roi d'Angleterre et duc de Normandie Guillaume le Conquérant lança une grande enquête sur tout le territoire anglais pour savoir combien d'impôts il pouvait collecter. Les résultats figurent dans le *Domesday Book*, qui recense les habitants de 13 418 propriétés, avec la liste détaillée de leurs terres et de leurs biens. Comme l'écrit un chroniqueur de l'époque, «pas un seul arpent, pas un yard de terrain, pas même un bœuf, ni une vache ni un cochon, ne fut oublié».

Le manuscrit du Domesday Book

MESURER LE BONHEUR ?

En 1972, Jingme Singye Wangchuck, roi du Bhoutan, a proposé que les performances d'un pays ne soient plus seulement mesurées par le taux de croissance ou le PIB mais aussi par ce qu'il a appelé le bonheur national brut (BNB), un indicateur prenant en compte des facteurs comme le respect de l'environnement et des traditions culturelles. Difficile à mesurer, le BNB est peu utilisé.

**Enfants bhoutanais
sur le chemin de l'école**

CALME PLAT

Quand l'économie ne connaît ni croissance ni contraction, on dit qu'elle stagne. Les conséquences d'une stagnation dépendent de la situation où se trouvait l'économie au moment où la croissance a stoppé. L'économie japonaise stagne depuis plusieurs années (notamment dans le secteur de l'électronique), mais le Japon reste un pays riche.

L'INDICE DE DÉVELOPPEMENT HUMAIN

Pour comparer les économies, le Programme des Nations unies pour le développement (PNUD) utilise l'indice de développement humain (IDH), qui combine quatre critères : l'espérance de vie à la naissance, le PIB par tête et son pouvoir d'achat, la proportion d'adultes sachant lire et le nombre d'habitants ayant fait des études primaires, secondaires et supérieures. En fonction de leurs résultats, les Etats sont considérés comme développés, en développement ou sous-développés. Cet indice a été mis au point en 1990 par les économistes Amartya Sen (Inde) et Mahbub ul Haq (Pakistan).

**Jeune Népalaise
portant son petit frère**

LE TRAVAIL GRATUIT

S'occuper des enfants, faire la cuisine, le ménage, la lessive... autant de tâches rarement rémunérées et qui n'entrent pas dans les statistiques de l'emploi. A l'échelle du monde, ce sont presque toujours les femmes qui font ce travail, parfois en plus d'un autre emploi. Selon les Nations unies, 70 % du travail des femmes n'est pas rémunéré. Il représenterait une valeur de 8,5 billions d'euros par an !

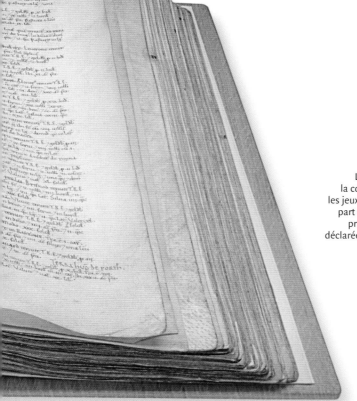

L'ÉCONOMIE PARALLÈLE

Les activités illégales telles que le trafic de drogue, la contrefaçon et le jeu clandestin (organisé là où les jeux d'argent sont interdits) constituent une part de l'économie impossible à mesurer précisément. Ces transactions non déclarées ne rapportent évidemment aucun impôt à l'Etat.

**Roulette
utilisée pour
des jeux
clandestins**

Une ampoule
à basse
consommation

LA FISCALITÉ

Les États financent leur action en percevant des impôts et des taxes sur les particuliers et les entreprises. Certains impôts sont collectés directement. C'est le cas de l'impôt sur le revenu, qui représente un certain pourcentage du revenu des particuliers. D'autres, comme la TVA (taxe sur la valeur ajoutée), sont indirects : on ne les paye que lorsqu'on achète certains biens (ce qui peut influencer les choix des consommateurs). Quand l'État réduit les impôts, les gens ont plus d'argent à dépenser, ce qui augmente les ventes des entreprises et favorise l'économie. Quand il les augmente – par exemple pour construire des écoles et des hôpitaux –, les gens dépensent moins mais les investissements réalisés ont un effet économique positif à long terme.

@ ▶▶
Impôt

UNE PRIME À L'ÉCONOMIE
Les impôts sur la consommation sont des taxes perçues sur la vente des marchandises. Les gouvernements s'en servent pour encourager ou dissuader certains comportements. Le tabac et l'alcool sont lourdement taxés pour limiter leur usage, alors que les ampoules à basse consommation ne sont pas soumises à la TVA dans certains pays.

L'IMPÔT PROGRESSIF
Quand l'impôt est progressif, ceux qui gagnent beaucoup d'argent versent une plus grosse part de leur revenu que ceux qui en gagnent peu. Le philosophe et économiste allemand Karl Marx (1813-1883) était partisan de l'impôt progressif. Il pensait que taxer les riches plus que les pauvres permettait une plus juste répartition des richesses.

LA TAXE QUI RÉTRÉCIT LES FAÇADES
Les impôts ont parfois des effets non désirés sur les comportements. Quand, au XVIIe siècle, les Pays-Bas ont créé une taxe basée sur la largeur des façades, les Hollandais se sont mis à construire des maisons très étroites et tout en profondeur. Les Français ont réagi de la même façon lorsqu'en 1798 le gouvernement a décidé de taxer les fenêtres : ils en ont tout simplement muré quelques-unes. Cet impôt a été supprimé en 1926.

Uniforme et fusil
de l'armée du Nord
(guerre de Sécession)

LE PRIX DE LA GUERRE
Dans de nombreux pays, l'impôt sur le revenu est la première source de recettes de l'État. Aux Etats-Unis, cet impôt remonte à la guerre de Sécession (1861-1865). Il a été créé par le gouvernement de l'Union (les Etats du Nord) pour financer ses troupes. L'impôt progressif sur le revenu est voté en France en 1914 après plusieurs tentatives depuis 1871.

L'IMPÔT DÉGRESSIF

Certains impôts sont qualifiés de dégressifs parce qu'ils pèsent plus sur les pauvres que sur les riches. En 1989, la Grande-Bretagne a créé un impôt local, la *poll tax*, qui obligeait tous les foyers d'un même territoire à payer la même somme, quels que soient leurs revenus. Cette décision a déclenché des émeutes et le gouvernement a dû y renoncer.

Manifestant contre la poll tax

MOINS D'IMPÔTS, PLUS DE CASINOS !

La petite principauté de Monaco est une destination très prisée des plus riches. De tels «paradis fiscaux» sont attractifs parce que les impôts y sont bas, voire inexistants. Profitant des avantages fiscaux que Monaco offre à ses résidents, les gens y achètent de luxueux appartements et dépensent leur argent dans les magasins et les casinos, au grand bénéfice de l'économie locale. Quand les Etats prélèvent trop d'impôts, certains peuvent être tentés de transférer leur société dans un paradis fiscal.

LES PRODUITS DE LUXE

Les gouvernements prétendent que les taxes sur des produits de luxe comme les bijoux sont justes et progressifs puisqu'ils frappent surtout les riches et que personne n'est obligé d'acheter un diamant. Mais si ces taxes sont décidées sans précautions, elles peuvent pénaliser les industries du luxe et leurs salariés. En outre, la définition du luxe peut changer avec le temps. La Norvège, par exemple, applique toujours une taxe sur le chocolat créée en 1922, bien que le chocolat soit devenu un produit ordinaire.

Maison étroite d'Amsterdam (Pays-Bas)

L'INFLATION

On appelle inflation la hausse des prix – quand elle concerne l'ensemble des biens et des services, et non le prix d'un article en particulier. Les prix sont, a priori, fixés par le jeu de l'offre et de la demande. Si les gens ont plus d'argent à dépenser mais que la quantité de marchandises produites ou importées ne suffit pas à satisfaire cette poussée de la demande, les prix augmentent : il y a inflation. S'ils dépensent moins pour épargner, les magasins accumulent des stocks d'invendus et doivent baisser leurs prix : il y a déflation. L'inflation dépend aussi du cours des matières premières stratégiques comme le pétrole et de la quantité de monnaie mise en circulation. Un taux d'inflation annuel de 2 % signifie que le prix des biens a augmenté en moyenne de 2 % en un an. L'excès d'inflation comme l'excès de déflation désorganisent l'économie.

LE PANIER DE LA MÉNAGÈRE

Pour mesurer l'évolution des prix et son impact sur le budget des consommateurs, les économistes surveillent le prix d'un «panier de la consommation des ménages», qui est un échantillon représentatif des achats d'un ménage moyen. Le contenu du panier varie selon les pays et les époques. Dans les pays pauvres, il comprend essentiellement de l'alimentation, des boissons et le loyer. Au fur et à mesure du développement d'une société, on rajoute au panier des achats plus coûteux (appareils domestiques, voyages...).

Dans le froid de l'hiver russe, une vieille femme reçoit un repas chaud gratuit.

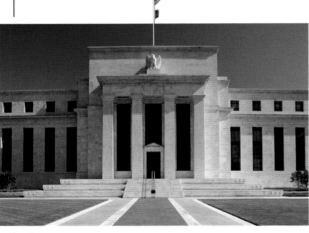

La Réserve fédérale des Etats-Unis (Washington)

LA LUTTE CONTRE L'INFLATION

Les banques centrales (ci-dessus, la Réserve fédérale américaine) contrôlent la quantité de liquidités nécessaires à l'économie. Les banques centrales s'efforcent de maintenir l'inflation à un niveau qui assure la stabilité des prix. Pour ce faire, elles peuvent augmenter ou abaisser les taux d'intérêt. En cas de déflation, par exemple, une baisse des taux d'intérêt encouragera les gens à emprunter pour dépenser plus.

L'INFLATION ET NOUS

L'inflation n'a pas les mêmes conséquences pour tout le monde. Les propriétaires de biens dont la valeur augmente (des maisons, par exemple) y gagnent. Les ouvriers dont le salaire augmente au même rythme que les prix ne sont ni perdants ni gagnants. En revanche, les entreprises sont obligées de pratiquer une gestion à très court terme et de modifier constamment les prix et les étiquettes, ce qui entraîne des coûts. Mais les grands perdants de l'inflation sont ceux dont les revenus ne suivent pas l'augmentation des prix, en majorité des retraités ou des personnes vivant de leur épargne. Dans la Russie des années 1990, l'inflation a durement frappé les personnes âgées qui n'avaient pour vivre qu'une petite pension de l'Etat.

L'HYPERINFLATION

Quand l'inflation devient incontrôlable, on parle d'hyperinflation. En 1923, l'Allemagne imprima d'énormes quantités de billets pour rembourser ses dettes. Les prix doublaient tous les deux jours et l'épargne ne valait plus rien. L'argent perdait sa valeur si vite que les vieux billets servaient à allumer le feu ! La création d'une nouvelle monnaie restaura la stabilité fin 1923.

En 1923, des enfants allemands jouent avec des piles de Reichsmark sans valeur.

Les Anglais font la queue à la pompe pendant le premier choc pétrolier des années 1970.

LA CRISE DU PÉTROLE

Quand les entreprises voient augmenter leurs frais de production et de transport, elles répercutent ces surcoûts sur leurs prix de vente. En 1973, la guerre au Proche-Orient a interrompu les livraisons de pétrole dans le monde entier. Son prix a quadruplé, entraînant une forte inflation dans les pays importateurs. Comme le pétrole est indispensable non seulement dans les transports mais aussi pour la fabrication de milliers de produits industriels, la hausse des prix a touché tous les secteurs.

MORT D'UNE MONNAIE

La pire hyperinflation de ces dernières années a eu lieu au Zimbabwe entre 2004 et 2009. A la suite d'un effondrement du secteur agricole ayant privé l'Etat d'une partie de ses ressources, la banque centrale a injecté massivement des liquidités dans l'économie. On a vu circuler des billets de 100 billions de dollars zimbabwéens et l'inflation mensuelle a atteint les 76 000 000 000 % ! En 2009, l'Etat a suspendu le dollar zimbabwéen et autorisé, jusqu'à la création d'une nouvelle monnaie, l'utilisation du dollar américain et du rand sud-africain.

Quand les Zimbabwéens payaient leurs fruits en billets de 500 000 dollars.

L'ÉCONOMIE PARALLÈLE

Les règlements de compte sanglants, les courses-poursuites en voiture, les pirates hissant le pavillon noir ou la guerre des mafias ont fait les grandes heures du cinéma. Mais derrière la légende se cache la réalité des activités illégales qui alimentent l'économie parallèle. Ce terme désigne tout le commerce réalisé en marge de la loi : production et vente de drogue, contrebande de produits interdits, paris, vente de contrefaçons, mais aussi piratage de DVD ou de logiciels et téléchargements illégaux. Le problème est très vaste : dans les pays pauvres, la part de l'économie parallèle peut représenter jusqu'au tiers de la valeur de l'économie légale. Les États du monde entier tentent de la faire disparaître car les biens et services qu'elle propose sont souvent dangereux et provoquent de graves troubles sociaux. Par ailleurs, les activités illégales échappent à l'impôt, ce qui diminue d'autant les ressources publiques.

LA BOURSE OU LA VIE !
Entre les XIIIᵉ et XVIIIᵉ siècles, la piraterie était très répandue. Aujourd'hui, les pirates n'ont plus de drapeau à tête de mort, mais ils sévissent toujours, notamment sur les côtes somaliennes, en Afrique de l'Est. Le vol et la revente illégale des cargaisons piratées causent des pertes à l'économie.

LE « BOSS »
Al Capone (1899-1947), dit « Scarface », était un gangster du temps de la Prohibition. Dans les années 1920 et 1930, ce « boss » de Chicago contrôlait un empire mafieux qui rapportait une centaine de millions de dollars par an. Ses activités les plus rentables étaient le trafic d'alcool et la contrebande. Al Capone se déplaçait dans une Cadillac blindée et se décrivait comme « un homme d'affaires ordinaire qui donne aux gens ce qu'ils veulent ». C'est finalement une affaire de fraude fiscale qui l'envoya en prison.

LA PROHIBITION
Dans les années 1920, les Etats-Unis adoptèrent une loi dite de « prohibition » interdisant la vente d'alcool sur leur territoire. La fabrication, la vente et le transport d'alcool devinrent aussitôt très rentables. Les gangs se livrèrent une guerre acharnée pour contrôler le trafic, déclenchant une vague de criminalité sans précédent. De respectables citoyens côtoyaient les gangsters dans des bars clandestins cachés au fond d'une cave ou camouflés en salons de thé... L'alcool saisi lors des descentes de police finissait à l'égout.

LA GRANDE VIE
La mafia russe est un réseau criminel qui contrôle l'économie parallèle. Ses membres affichent souvent un train de vie flamboyant et possèdent des voitures telles que celle-ci. La Russie connaissait déjà une économie parallèle florissante sous l'ère communiste. A cette époque, les jeans ou les produits électroniques valaient très cher au marché noir. Après la chute du communisme, au début des années 1990, l'absence de règles et la corruption ont permis à la mafia d'amasser des fortunes.

RIEN À DÉCLARER ?

Un contrebandier est quelqu'un qui passe secrètement des marchandises dans un autre pays parce que ces marchandises sont illégales ou qu'il ne veut pas payer de droits de douane. L'imagination des contrebandiers est sans limites. Cet homme a été arrêté à l'aéroport de Los Angeles alors qu'il essayait d'entrer aux Etats-Unis avec des oiseaux rares. La contrebande prive l'Etat des taxes qu'il devrait normalement percevoir ou pratique un commerce interdit.

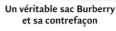

Oiseaux chanteurs suspendus aux jambes du passeur

L'ARGENT DE LA DROGUE

La production et le trafic de drogue sont un fléau mondial. Ces substances illicites créent des dépendances qui poussent les usagers à la délinquance pour financer leur consommation. Fabriquée à partir d'une variété de pavot, l'héroïne se vend très cher sur le marché illégal. Avec l'argent de la drogue, les trafiquants financent souvent d'autres activités criminelles.

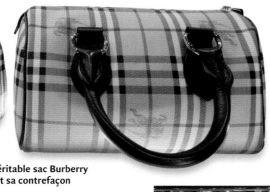

LE VRAI ET LE FAUX

Les produits des grandes marques du luxe – montres, vêtements, bagages… – sont chers. Pour le consommateur, leur réputation justifie leur prix. Certains fabricants réalisent des contrefaçons (des faux), revêtues des mêmes étiquettes, que l'on trouve à des prix très inférieurs. Leur commerce est illégal, car elles nuisent aux ventes et à l'image des marques, dont les griffes et les étiquettes sont protégées par la loi.

Un véritable sac Burberry et sa contrefaçon

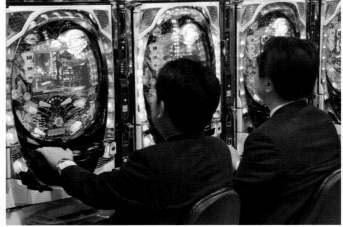

LE PACHINKO DES YAKUZAS

Puisque la loi japonaise interdit les jeux d'argent, les adeptes du très populaire automate de jeu *pachinko* reçoivent leurs gains en jouets et en appareils électroniques. On trouve généralement à proximité un stand où échanger ses prix contre de l'argent. Le propriétaire du stand revend ensuite les prix à la salle de jeux, et la même opération peut recommencer. Cette activité très rentable est souvent contrôlée par les yakuzas, la mafia japonaise. Les jeux de hasard créent une dépendance et peuvent ruiner financièrement les joueurs et leurs familles.

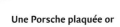

Une Porsche plaquée or

Announcing the very first Postgraduate Open Evening at our brand new Business School in the heart of the City...
BPP BUSINESS SCHOOL
Area Manager
ACTING CLASSES
24.7

QUERELLES DE CHIFFRES

Les chiffres du chômage peuvent être trompeurs. Ils ne comptabilisent que les chômeurs en recherche active d'emploi et peuvent laisser de côté les salariés à temps partiel qui cherchent en vain un emploi à plein-temps, ou les personnes licenciées qui suivent une formation pour retrouver du travail.

LE CHÔMAGE

On appelle chômeurs les gens qui cherchent du travail jusqu'à ce qu'ils en trouvent. Le travail rémunéré étant le principal moyen d'existence de tout un chacun ou presque, le chômage cause d'énormes problèmes aux individus, aux sociétés et aux États. Il plonge les familles dans la pauvreté, crée de la division et des tensions, fait perdre des clients aux entreprises et impose aux États de lourdes dépenses de protection sociale. La plupart des économistes pensent que le chômage est provoqué par l'évolution technique à long terme, les à-coups de l'économie nationale et l'impact de la situation internationale sur la structure de l'emploi. Partout dans le monde, la lutte contre le chômage de longue durée est une priorité.

@ ▶▶
Chômage

En 1912, à Londres, voitures à cheval et automobiles se partagent la chaussée.

LE COÛT DU PROGRÈS

Jusqu'aux années 1900, tous les véhicules étaient à traction animale et les grandes villes d'Amérique et d'Europe comptaient d'innombrables garçons d'écurie, cochers, bourreliers et marchands d'avoine. Mais en 1930 l'automobile avait remplacé le cheval et quasi supprimé ces métiers. Des révolutions telles que l'invention de l'automobile peuvent réduire au chômage toute la main-d'œuvre d'un secteur et rendre ses compétences inutiles.

LE TRAVAIL À L'ANCIENNE

Ces saris indiens sont des produits de l'artisanat traditionnel. Par rapport aux saris manufacturés, leur fabrication exige plus de temps et de main-d'œuvre. Ils coûtent donc plus cher. Au XIXe et au début du XXe siècle, l'importation massive de tissus industriels anglais bon marché a privé de gagne-pain de nombreux travailleurs indiens du textile.

UN REPAS GRATUIT

Sans emploi, les gens risquent de perdre leur logement et d'avoir du mal à se nourrir. Toutes les sociétés aident leurs chômeurs d'une façon ou d'une autre. En Europe occidentale, les Etats leur versent des allocations. Dans d'autres pays, ce sont des associations caritatives ou religieuses qui leur procurent un peu d'argent, de la nourriture et un toit.

LES DÉLOCALISATIONS

Beaucoup d'activités autrefois exercées dans les pays industrialisés migrent vers les pays à bas salaires. L'Inde possède de nombreux centres d'appel comme celui-ci, chargés entre autres des services de réservation de billets et d'information pour les compagnies aériennes internationales anglophones. Il existe la même chose au Maroc ou en Tunisie pour des services francophones. Les salariés des pays développés qui occupaient jusqu'ici ces emplois sont obligés de chercher un autre métier.

EN QUÊTE D'UNE VIE MEILLEURE

L'une des réponses possibles au chômage est d'aller chercher du travail loin de chez soi, voire à l'étranger. Au XIXᵉ et au début du XXᵉ siècle, des millions d'Européens ont émigré vers les économies en plein essor du continent américain pour y trouver un emploi et une certaine prospérité. On assiste actuellement à une nouvelle vague d'émigration économique, marquée par l'arrivée dans les pays développés de populations à la recherche de meilleures conditions de vie.

L'arrivée à New York d'immigrants européens en 1882

LA CRÉATION D'EMPLOIS

Les gouvernements combattent le chômage de multiples façons. Les travailleurs privés d'emploi par l'évolution des techniques suivent des formations pour acquérir de nouvelles compétences. L'État peut aussi créer des emplois lui-même à travers des programmes d'insertion. Le gouvernement japonais maintient un niveau d'emploi élevé dans le secteur de la construction en finançant de grandes infrastructures (routes, ponts, etc.). Certains reprochent à cette politique de coûter trop cher et de défigurer l'environnement.

Ouvriers de la construction sur un chantier de grands travaux dans l'île de Shikoku (Japon)

Distribution de repas aux chômeurs du New Jersey (Etats-Unis)

LA MONDIALISATION

Les hommes commercent d'un pays à l'autre depuis des millénaires, mais au cours des quarante dernières années l'amélioration des transports et des communications a démultiplié les flux de marchandises et de capitaux. Plus les États ouvrent leurs frontières aux marchandises, plus leurs économies s'entremêlent. Le commerce augmente, les entreprises s'implantent à l'étranger, l'innovation technologique se diffuse de pays en pays et les hommes les plus formés peuvent trouver facilement de meilleurs emplois à l'étranger. Cette évolution planétaire, appelée mondialisation, a des avantages et des inconvénients pour les pays et les salariés qui y participent malgré eux. Le Fonds monétaire international (FMI) et l'Organisation mondiale du commerce (OMC) tentent de réguler la circulation des biens, des services et des technologies.

LE COMMERCE INTERNATIONAL

Le commerce international réunit des régions du monde séparées par des milliers de kilomètres. C'est ainsi que l'électronique asiatique inonde les marchés du Nigeria, en Afrique de l'Ouest. Si ces échanges représentent une chance pour beaucoup, ils sont aussi une menace pour des activités incapables de résister à la concurrence internationale.

Le labour des rizières à Madagascar

LES MULTINATIONALES

La multinationale sud-coréenne Daewoo a loué des milliers d'hectares de terres à Madagascar, dans l'océan Indien, pour produire des récoltes à l'intention du marché coréen. Elle propose en contrepartie de soutenir par ses investissements le développement économique de l'île, mais on peut craindre que son projet n'aggrave les pénuries alimentaires dont souffrent les Malgaches.

LES PETITS SALAIRES FONT LES GRANDS PROFITS

Dans une économie mondialisée, les entreprises peuvent répartir les diverses phases de leur production sur plusieurs continents. Dans l'industrie textile, les bureaux de stylisme, le marketing et l'essentiel des profits restent dans le monde développé, mais la fabrication a lieu dans les usines des pays à bas coûts telles que celle-ci, au Bangladesh. A ceux qui dénoncent l'injustice de ces horaires à rallonge pour de maigres salaires, les entreprises répondent que les emplois créés profitent à l'économie locale.

Mondialisation

DÉVELOPPEMENT ET MONDIALISATION

Une économie mondialisée a besoin de régulation à l'échelle mondiale. L'OMC tente de fixer des règles commerciales et arbitre les conflits entre pays. Devant la conférence 2009 «Aide pour le commerce», à Genève (Suisse), le Français Pascal Lamy, directeur général de l'OMC, a qualifié la mondialisation de voie privilégiée vers le développement. Faux, répondent les altermondialistes, car les pays riches imposent des barrières commerciales qui maintiennent les pays pauvres dans la misère. L'OMC a pour mission de résoudre ce problème.

LES EXPATRIÉS

La baisse des prix du trafic aérien permet à certains d'aller travailler très loin de chez eux. Cet ouvrier indien de la construction a trouvé un emploi à Dubaï, au Moyen-Orient. La mobilité de la main-d'œuvre profite aussi aux employeurs. Les grandes sociétés sillonnent le globe pour recruter les meilleurs ingénieurs, designers, chercheurs, informaticiens et managers du monde.

LES GAGNANTS ET LES PERDANTS

Cette clé USB est un exemple parmi beaucoup d'autres des produits mis au point dans la Silicon Valley, en Californie. Le boom technologique des années 1995-2000 a fait la fortune des régions high-tech du jour au lendemain. A l'inverse, l'industrie automobile du Michigan (Etats-Unis) a subi le choc de la concurrence internationale au cours des dernières années.

LES RICHES ET LES PAUVRES

Depuis que l'être humain a abandonné le nomadisme et la vie de chasseur-cueilleur pour inventer l'agriculture et fonder des villages, il y a dix mille ans, la production économique n'a cessé de croître. Mais la répartition de cette richesse est toujours restée inégale. Dans le monde d'aujourd'hui, un profond fossé sépare les pays riches des pays pauvres, et les inégalités de revenus se creusent dans toutes les sociétés. Les inégalités et la pauvreté sont des enjeux mondiaux, non seulement pour des raisons morales et politiques mais aussi pour leur impact économique. Une population qui ne peut rien acheter n'offre pas de débouchés aux entreprises, et la main-d'œuvre qualifiée est rare quand les pauvres n'ont pas accès à l'éducation. L'instabilité et la violence qu'engendrent les inégalités sont également des freins au développement.

LA PAUVRETÉ, FACTEUR D'ISOLEMENT

Certaines définitions de la pauvreté prennent en compte la capacité de participer à la vie sociale. Dans les pays développés, les enquêtes d'opinion révèlent que le fait de posséder une télévision, un téléphone portable et un costume est considéré par une majorité comme la condition indispensable d'intégration sociale ! Dans un pays pauvre, ce serait un signe de richesse.

LES INÉGALITÉS AU SEIN DES SOCIÉTÉS

Cette image de São Paulo, la ville la plus riche du Brésil, montre l'ampleur des inégalités qui peuvent affecter une société : au premier plan, un bidonville ; un peu plus loin, de luxueux immeubles. Dans les villes des pays en développement on voit de plus en plus de murs, de vigiles armés et de constructions aux allures de fortifications qui isolent les riches des pauvres.

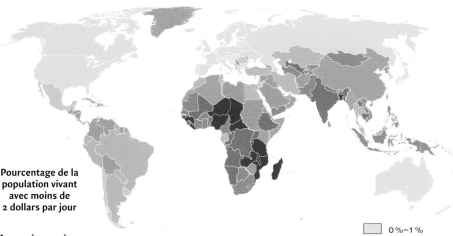

Pourcentage de la population vivant avec moins de 2 dollars par jour

- 0 %–1 %
- 2 %–5 %
- 6 %–20 %
- 21 %–40 %
- 41 %–60 %
- 61 %–80 %
- 81 %–100 %
- Pas de données

LES INÉGALITÉS ENTRE PAYS

La Banque mondiale situe le seuil de la pauvreté absolue (le strict minimum pour survivre) à 2 dollars par jour. Plus de 2,5 milliards d'êtres humains ont un revenu inférieur ou égal à ce seuil. Cette carte illustre la concentration de l'extrême pauvreté dans le monde en développement, notamment en Afrique subsaharienne et dans le sud de l'Asie, et sa quasi-absence en Europe, en Amérique du Nord et en Extrême-Orient. Il reste une part importante de population très pauvre dans les campagnes d'Indonésie, en Chine et au Brésil.

RESTER RICHE

Les *public schools* anglaises (qui sont en réalité des écoles privées) sont un bon exemple de la façon dont les riches restent riches. Chaque génération consacre une partie de son argent à donner à la suivante la meilleure éducation possible. Ces élèves d'Eton College acquièrent un excellent niveau scolaire et culturel. Ils se font aussi des relations dans les milieux les plus riches et influents. Une fois diplômés, ils trouveront là l'aide nécessaire pour obtenir les postes les plus élevés et les mieux payés. C'est ce que l'on appelle la reproduction sociale, qui s'observe dans tous les pays riches.

Cet élévateur permet d'accéder au bus en fauteuil roulant.

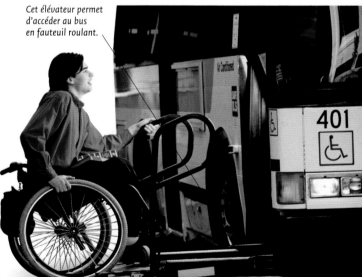

GÉRER LES INÉGALITÉS

Les revenus sont inégalement répartis entre classes sociales, entre hommes et femmes et entre groupes d'origine ethnique différente. Les personnes handicapées font face à une difficulté supplémentaire pour trouver un emploi et accéder aux transports et aux lieux de travail. Les Etats s'efforcent de remédier à ces inégalités grâce à des lois protégeant les droits des salariés. Mais la justice coûte cher. Les fauteuils roulants électriques et les rampes d'accès aux transports facilitent la vie des handicapés des pays riches, mais leur prix en fait une rareté dans les pays en développement.

L'AIDE INTERNATIONALE

L'aide est un transfert de richesses des pays riches vers les pays pauvres qui a pour but de favoriser leur développement. Pourtant, son bilan est très mitigé. Pour certains experts, le meilleur moyen d'aider ces pays à sortir de la pauvreté est de les encourager à exporter plus – une solution souvent au détriment des habitants du pays. Mais cela ne résout pas tout, et de nouvelles pistes sont explorées. Les consommateurs des pays riches soutiennent le commerce équitable, qui garantit aux petits producteurs des prix corrects, et les pays développés envisagent d'annuler la dette des moins avancés. Les programmes de microcrédit aident les plus pauvres à développer leur activité, et les téléphones portables peuvent donner de nouveaux moyens aux communautés isolées.

Solidarité

L'AIDE EFFICACE
Par manque d'infrastructures, de technologies et de financements, les pays en développement ne peuvent faire face aux besoins grandissants de leur population en services aussi indispensables que l'accès à l'eau. L'aide internationale permet de construire des systèmes d'assainissement et d'adduction d'eau potable, mais elle doit aussi apprendre aux populations locales à les entretenir.

PRÊTER AUX PAUVRES
Les programmes de microcrédit prêtent de toutes petites sommes aux plus pauvres pour les aider à créer leur activité. Marium Begum élève des volailles au Bangladesh. Elle a démarré son activité grâce à un microprêt de la banque Grameen, spécialisée dans les services financiers aux pauvres. Les remboursements des prêts permettent de financer de nouveaux projets.

Des messages de santé publique sont affichés sur la citerne.

UN SYSTÈME QUI TOURNE ROND
L'aide est mieux utilisée quand elle finance des projets à long terme que quand elle n'apporte qu'un « coup de pouce » immédiat. Les programmes d'éducation, de santé publique et d'autosuffisance sont les plus susceptibles de produire des résultats durables. Ces enfants sud-africains s'amusent sur un tourniquet qui est aussi une pompe à eau. Ce système existe à plus d'un millier d'exemplaires en Afrique subsaharienne où il fournit un million d'habitants en eau potable. Le mouvement de rotation du tourniquet pompe l'eau dans le sous-sol et l'envoie dans une grande citerne en hauteur. Celle-ci est recouverte de publicités qui financent l'entretien de la pompe et de messages de santé publique.

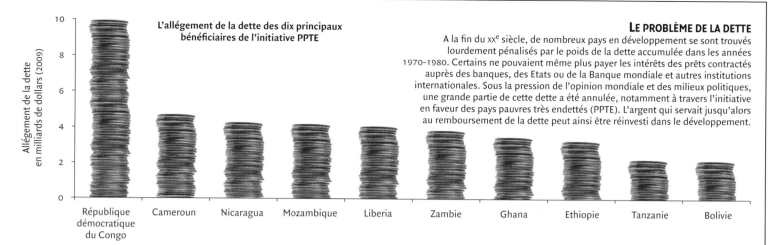

L'allégement de la dette des dix principaux
bénéficiaires de l'initiative PPTE

Allégement de la dette
en milliards de dollars (2009)

LE PROBLÈME DE LA DETTE

A la fin du XXe siècle, de nombreux pays en développement se sont trouvés lourdement pénalisés par le poids de la dette accumulée dans les années 1970-1980. Certains ne pouvaient même plus payer les intérêts des prêts contractés auprès des banques, des Etats ou de la Banque mondiale et autres institutions internationales. Sous la pression de l'opinion mondiale et des milieux politiques, une grande partie de cette dette a été annulée, notamment à travers l'initiative en faveur des pays pauvres très endettés (PPTE). L'argent qui servait jusqu'alors au remboursement de la dette peut ainsi être réinvesti dans le développement.

LE COMMERCE ÉQUITABLE

Le mouvement du commerce équitable vise à garantir des prix corrects et stables aux petits paysans des pays en développement pour les rendre indépendants des circuits traditionnels et de leurs prix erratiques et très bas. Cette démarche éthique est soutenue par beaucoup de consommateurs des pays riches qui acceptent volontiers de payer plus cher s'ils ont l'assurance que cela profite aux petits producteurs. Pour satisfaire la demande des consommateurs, les hypermarchés proposent de plus en plus de produits du commerce équitable tels que le thé, le café, le chocolat, les bananes, etc.

Café du commerce équitable

LE DROIT D'EXPORTER

Les règles commerciales sont souvent un frein aux exportations. Les Etats-Unis ont longtemps interdit l'importation des crevettes de Thaïlande et de Malaisie pour non-respect de la réglementation sur la protection des tortues de mer, qui sont souvent victimes des filets à crevettes. Les exportateurs de crevettes ont plaidé que c'était faire passer le bien-être des tortues avant celui des populations, et l'OMC (p. 55-56) a annulé l'interdiction.

Cet éleveur massaï est informé par téléphone des prix du bétail.

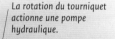

La rotation du tourniquet actionne une pompe hydraulique.

SIMPLE COMME UN COUP DE FIL

Les pays pauvres risquent d'augmenter encore leur retard s'ils ne parviennent pas à accéder aux nouvelles technologies. Heureusement, les réseaux de téléphonie mobile coûtent moins cher à installer que les lignes fixes. En 1996, il y avait seulement un million de téléphones portables en Afrique. On en comptait 256 millions dix ans plus tard, et la demande ne cesse d'augmenter. Grâce à son téléphone portable, cet éleveur massaï du Kenya peut s'informer des cours locaux et nationaux du bétail pour vendre ses bêtes au meilleur prix.

LES DÉFIS DE DEMAIN

L'histoire économique du XXIe siècle ne s'annonce pas moins mouvementée que celle du XXe. L'un des défis majeurs que doit affronter l'économie mondiale est la croissance rapide de la population. Le niveau de vie progresse dans les pays en développement. Cela signifie qu'à travers toute la planète de plus en plus de gens consomment de plus en plus de biens et de ressources naturelles. Cette augmentation de la consommation entraîne celle de la pollution, qui accentue le changement climatique et l'épuisement des ressources en énergie et en eau. Le remède miracle n'existe pas. Il faudra inventer de nouvelles solutions pour limiter la pollution et encourager des modes de consommation plus économes.

L'EXPLOSION DÉMOGRAPHIQUE

Cette rue bondée se trouve dans la ville chinoise de Canton, dont la population est passée de 1 à 12 millions d'habitants en quelques décennies. Comme la population mondiale, Canton va continuer à croître pendant les quarante prochaines années. Selon les Nations unies, la population mondiale atteindra 9,5 milliards d'habitants en 2050, vivant pour la plupart en ville et dans les pays en développement. Pour les nourrir, l'économie mondiale devra faire une utilisation beaucoup plus juste et raisonnable des ressources limitées de la planète.

Epis de blé

@ ▶▶
Pénurie

Vapeur d'eau sortant de tours de refroidissement

La cheminée évacue les fumées de la chaudière.

LES PÉNURIES ALIMENTAIRES

Le changement climatique, l'augmentation de la population et la hausse du niveau de vie menacent les approvisionnements alimentaires. En 2005-2006, les prix du blé ont flambé sous l'effet d'une grave sécheresse et d'une demande en hausse. Dans l'avenir, le régime alimentaire des pays en développement contiendra sans doute moins de légumes, de riz et de blé et plus de viande s'ils souhaitent imiter les pays riches. Or la production de viande nécessite plus de surfaces agricoles et d'eau, d'où une pression accrue sur les ressources de la planète.

LA FIN DU PÉTROLE

Le pétrole mène l'économie mondiale. Il est le carburant indispensable aux transports, alimente une partie des centrales électriques et entre dans la composition de nombreux produits. Or nos réserves ne pourront satisfaire longtemps une demande qui continue de croître. La transition vers l'après-pétrole sera difficile. Des industries entières vont disparaître, mais elles seront remplacées par les futures technologies sans pétrole.

L'essence, un dérivé du pétrole, est le carburant automobile universel.

Pistolet à essence

LES GUERRES DE L'EAU

Ce paysage australien craquelé et desséché était autrefois une terre agricole fertile. Nos ressources limitées en eau douce sont surexploitées partout dans le monde. Alors que les sécheresses rendent l'eau plus rare, la croissance démographique, le gaspillage lié à certains procédés industriels et l'excès d'irrigation font augmenter la demande. Dans certaines régions du monde, il pourrait éclater des guerres pour le contrôle de l'eau.

LE CHANGEMENT CLIMATIQUE

Les émissions de dioxyde de carbone et autres gaz polluants dues à la combustion des carburants fossiles (charbon, pétrole et gaz) provoquent une hausse continue de la température de la Terre et une fréquence accrue des phénomènes climatiques extrêmes. Face au péril climatique, les Etats cherchent à appliquer une taxe sur le carbone rejeté par les voitures, les usines et les centrales électriques. Avec la «taxe carbone», l'électricité qui sort de cette centrale à charbon coûtera plus cher, tandis que les énergies renouvelables (d'origine éolienne ou solaire, par exemple) verront baisser leur prix. Les consommateurs auront ainsi tout intérêt à abandonner les énergies «sales».

LE VIEILLISSEMENT DE LA POPULATION

La population des pays développés vieillit rapidement, car la natalité baisse et les gens vivent plus longtemps. Comment une population active en déclin pourra-t-elle assumer la charge et les soins de personnes âgées de plus en plus nombreuses? Notre façon d'envisager l'épargne, le financement des retraites, la solidarité familiale et la vie professionnelle devra s'adapter à cette nouvelle répartition des classes d'âge.

L'ÉCONOMIE ET NOUS

Chaque habitant de la planète est dépendant de l'économie. La richesse du pays où l'on vit et la politique d'impôts voulue par son gouvernement peuvent déterminer des choses aussi vitales que l'accès à l'eau potable, mais aussi le niveau d'équipement des écoles, la qualité des soins, le prix de la nourriture et de l'habillement ou encore le type d'activités économiques et d'entreprises que l'on trouve près de chez soi. Le revenu d'une famille influe sur la taille de son logement, le quartier où elle habite, le choix de l'école de ses enfants et leur lieu de vacances. Gouvernements, entreprises ou particuliers, tous réfléchissent à la façon de dépenser ou d'économiser leur argent. Telle est la clé d'une économie bien gérée : utiliser au mieux des ressources limitées.

UNE AFFAIRE DE MOYENS

Tout dans une école, depuis les installations jusqu'au nombre d'élèves par enseignant, dépend de facteurs économiques. Certaines écoles sont financées par les impôts, d'autres par des frais de scolarité payés par les parents. Les élèves des écoles les mieux dotées bénéficient des équipements les plus modernes, alors que dans des quartiers moins privilégiés les classes peuvent être surchargées et manquer du matériel le plus élémentaire.

PRÉPARER L'AVENIR

L'habitude de glisser quelques pièces dans une tirelire existait déjà dans la Grèce antique, il y a plus de 2 000 ans. Comme les Etats et les entreprises, mais à plus petite échelle, les individus font aussi de la planification économique quand ils mettent de l'argent de côté pour effectuer un achat important dans l'avenir ou se garantir un revenu supplémentaire.

VIVRE EN VILLE

La situation économique de la région dans laquelle grandit un enfant peut avoir un effet déterminant sur ses possibilités d'avenir. Aujourd'hui, plus de la moitié de la population mondiale vit en ville, contre 9 % en 1900. L'une des premières raisons qui poussent les gens à quitter les campagnes est de trouver de meilleures perspectives de vie. Tokyo, l'une des villes les plus peuplées et les plus riches du monde, abrite les sièges de nombreuses multinationales. Grâce à son réseau de transports, ses 12,8 millions habitants peuvent aller travailler dans des magasins, des usines, des bureaux ou des hôpitaux éloignés de leur domicile. Ils n'auraient pas les mêmes possibilités professionnelles dans une région rurale mal desservie.

LE TRAVAIL DES ENFANTS

Ces petites Irakiennes ramassent les ordures et les apportent à la décharge. A travers le monde, 158 millions d'enfants de 5 à 14 ans doivent, comme elles, gagner leur vie. Ils font souvent des travaux dangereux, toujours mal payés, et ceux qui travaillent à plein-temps ne sont pas scolarisés. Mais le peu qu'ils gagnent permet à beaucoup de familles pauvres de survivre.

DES LOGEMENTS SURPEUPLÉS

Le genre de logement que l'on habite dépend de facteurs économiques tels que le revenu de la famille et les prix de l'immobilier dans le voisinage. Cette famille de Rangoon, en Birmanie, n'a pas d'autre choix que de s'entasser dans l'unique pièce de cette cabane de bidonville, sans eau courante, ni électricité ni toilettes. Les membres de la famille risquent de développer de graves troubles de santé, et même des maladies telles que le choléra ou la dysenterie.

L'INDICE BIG MAC

En 2006, la banque suisse UBS a trouvé un moyen original pour comparer la situation économique des grandes villes du monde : elle a calculé le temps de travail nécessaire à un salarié moyen pour acheter un hamburger précis dans un fast-food de la chaîne internationale McDonald's de sa ville. Le résultat varie de 10 minutes à Tokyo, au Japon, à 97 minutes à Bogotá, la capitale colombienne.

LE MONDE EN CHIFFRES

Les chiffres qui servent à décrire l'économie mondiale ne cessent d'augmenter. En 1900, la valeur totale des biens et services produits dans le monde s'élevait à un billion de dollars. Elle a depuis été multipliée par 70. Jamais le monde n'a connu une telle quantité d'échanges commerciaux et de multinationales. Au cours des dernières années, on a assisté à un glissement de la puissance économique vers des pays dits « émergents » comme la Chine et l'Inde.

**Etats-Unis
359 milliardaires
en 2009**

Actifs non financiers (290 billions de dollars)
Ils incluent les terrains, l'immobilier, les actions, les obligations et tous les biens autres que l'argent. La valeur totale estimée de ces actifs a culminé à ce niveau à la fin de 2008.

COMBIEN D'ARGENT Y A-T-IL DANS LE MONDE ?

Comme le révèlent ces chiffres de 2008, la somme totale des espèces en circulation ne représente qu'une fraction de l'argent virtuel échangé entre les acteurs du monde financier. Il est intéressant de comparer ces chiffres avec le PIB mondial (la valeur des biens et services produits pendant une année sur la planète), soit 69,49 billions de dollars en 2008.

Système bancaire traditionnel (39 billions de dollars)
Le montant total des dépôts bancaires et des comptes d'épargne dans l'ensemble du monde, plus l'argent emprunté aux banques par les particuliers et les entreprises.

Espèces en circulation (3,9 billions de dollars)
La valeur totale des pièces et billets en circulation. Ce chiffre ne comprend pas les transactions électroniques. Si chacun vidait son compte bancaire et vendait ses actifs financiers, il n'y aurait pas assez d'espèces pour payer tout le monde.

Réserves d'or (845 milliards de dollars)
Bien que le monde entier ait aujourd'hui adopté un système de monnaie fiat (dont la valeur repose uniquement sur la parole de l'Etat), les banques centrales conservent par précaution des réserves d'or. Ces réserves sont faibles par rapport au montant des espèces en circulation.

LES GÉANTS MONDIAUX

Ce schéma illustre la contribution des principales régions du monde à l'économie mondiale depuis l'an 1500. A cette époque, les deux superpuissances étaient l'Inde et la Chine, même si l'Europe commençait à les concurrencer. Le continent américain représentait alors moins de 5 % du PIB mondial. Au début du XIXᵉ siècle, la répartition du PIB a connu un tournant lié à la révolution industrielle en Europe et en Amérique du Nord (p. 66). En 1950, les Etats-Unis représentaient à eux seuls 30 % du PIB mondial, et l'Europe et le Japon 30 % ensemble. Les pays développés totalisent aujourd'hui encore la plus grande partie de la production mondiale, mais la part des pays en développement progresse.

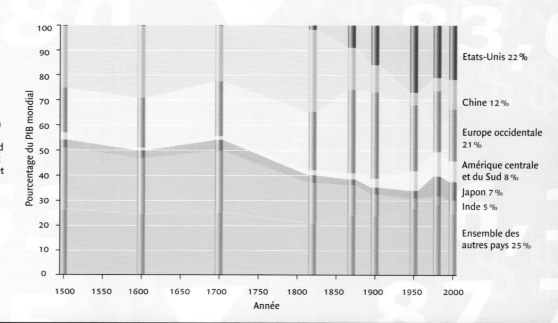

Pourcentage du PIB mondial

Année

Etats-Unis 22 %

Chine 12 %

Europe occidentale 21 %

Amérique centrale et du Sud 8 %

Japon 7 %

Inde 5 %

Ensemble des autres pays 25 %

Allemagne
54

Chine
47

Russie
32

Royaume-Uni
25

Inde
24

Canada
20

Japon
17

Brésil
13

Turquie
13

Arabie saoudite
13

Espagne
12

OÙ TROUVE-T-ON LE PLUS DE MILLIARDAIRES ?

La croissance mondiale a permis à quelques-uns de bâtir des fortunes gigantesques. Le nombre de milliardaires (en dollars) continue d'augmenter. Les magnats américains et européens de l'industrie et de la banque sont rejoints par les rois des minerais et du pétrole russes et saoudiens. Depuis une vingtaine d'années, le secteur informatique a gonflé les rangs des milliardaires américains.

Rang	Société	Valeur 2008 ($ US)
1	Google	66 434 000 000
2	General Electric	61 880 000 000
3	Microsoft	54 951 000 000
4	Coca-Cola	44 134 000 000
5	China Mobile	41 214 000 000
6	Marlboro	39 166 000 000
7	Wal-mart	36 880 000 000
8	Citi	33 706 000 000
9	IBM	33 572 000 000
10	Toyota	33 427 000 000
11	McDonald's	33 138 000 000
12	Nokia	31 670 000 000
13	Bank of America	28 767 000 000
14	BMW	25 751 000 000
15	HP	24 987 000 000
16	Apple	24 728 000 000
17	UPS	24 580 000 000
18	Wells Fargo	24 284 000 000
19	American Express	23 113 000 000
20	Louis Vuitton	22 686 000 000

LES MARQUES LES PLUS CHÈRES

Sur des marchés mondiaux très concurrentiels où les entreprises se disputent l'attention de milliards de consommateurs, une marque célèbre est un atout qui se monnaye très cher. Google vaut des dizaines de milliards sur le marché des actions parce qu'il est devenu le moteur de recherche le plus utilisé au monde. Il offre ainsi une énorme audience aux annonceurs. Evidemment, on ne bâtit pas une marque sur un service ou un produit sans intérêt. La plupart des entreprises de cette liste ont été des pionniers dans leur secteur, à l'exemple d'IBM dans l'informatique ou de Nokia dans la téléphonie mobile.

LES EXPORTATIONS MONDIALES

Au lendemain de la Seconde Guerre mondiale, le commerce international représentait 59 milliards de dollars. Il a connu depuis une croissance spectaculaire, pour atteindre 13 billions de dollars en 2007. L'Organisation mondiale du commerce (OMC) incite les Etats à réduire les droits de douane à l'importation pour favoriser le commerce. Dans le même temps, l'apparition d'Internet et la baisse des prix du transport ont réduit les coûts des échanges internationaux.

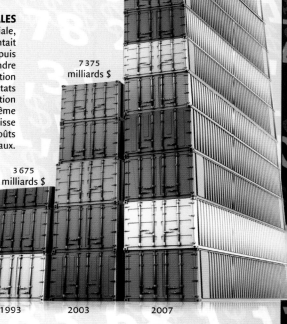

13 619 milliards $

7 375 milliards $

3 675 milliards $

1 838 milliards $

579 milliards $

59 milliards $

84 milliards $

157 milliards $

| 1948 | 1953 | 1963 | 1973 | 1983 | 1993 | 2003 | 2007 |

LES PLUS HAUTS REVENUS

Les Etats-Unis ont le PIB le plus élevé du monde, mais si l'on divise ce chiffre par le nombre d'habitants du pays, ils perdent la première place. En 2008, c'est la Norvège qui avait le premier PIB par habitant.

Norvège
43 400 $ par habitant

Suisse
40 680 $

Etats-Unis
37 870 $

France
34 145 $

Danemark
33 570 $

= environ 3 000 $

Suède
28 910 $

Royaume-Uni
28 320 $

Finlande
27 060 $

Irlande
27 010 $

Autriche
26 810 $

CHRONOLOGIE

L'histoire de l'économie mondiale au cours des 12 000 dernières années est dominée par l'invention de procédés ingénieux destinés à utiliser au mieux des ressources limitées comme le temps, la terre et le travail des hommes. Certaines grandes innovations ont été technologiques – le chemin de fer ou Internet –, d'autres ont donné naissance à des institutions telles que les banques et les Bourses.

Carte postale illustrant la « Tea party » de Boston, (colonie anglaise du Massachusetts, 1773)

10000-6000 AV. J.-C. NAISSANCE DE L'AGRICULTURE
Le développement de l'agriculture sonne la fin de la civilisation des chasseurs-cueilleurs dans de nombreuses régions du monde.

7500-4000 AV. J.-C. LES PREMIÈRES VILLES
Création des premières villes. Une économie citadine apparaît avec le développement de villages comme Çatal Höyük, dans le sud de la Turquie.

Tablette d'argile mésopotamienne comportant des comptes en écriture cunéiforme (vers 2750 av. J.-C.)

3400-2700 AV. J.-C. LES PREMIERS COMPTABLES
Les Mésopotamiens inventent une méthode d'écriture dite cunéiforme pour enregistrer les opérations commerciales et financières.

VERS 1200 AV. J.-C. MONNAIE DE CAURI CHINOISE
Les Chinois commencent à utiliser des coquilles de cauri comme monnaie. L'usage monétaire des cauris s'est prolongé jusqu'au milieu du XXᵉ siècle dans certaines régions d'Afrique.

VERS 640 AV. J.-C. LES PREMIÈRES PIÈCES
Les premières pièces du monde sont frappées en Lydie, dans l'ouest de la Turquie actuelle.

VERS 490 AV. J.-C. PREMIER BANQUIER CONNU
Les activités financières d'un banquier lydien nommé Pythias sont attestées par l'historien grec Hérodote.

30 AV J.-C.-14 APR. J.-C. RÈGNE D'AUGUSTE
L'empereur Auguste transforme l'Empire romain, émet de nouvelles pièces et crée de nouveaux impôts sur les marchandises, la terre et les personnes.

306-337 LA PIÈCE DE CONSTANTIN
L'empereur romain Constantin émet une pièce d'or, le *solidus*, qui sera produite pendant sept cents ans.

806-821 LE PAPIER-MONNAIE
Le papier-monnaie voit le jour avec la création en Chine des premiers billets de banque.

1156 LA PREMIÈRE OPÉRATION DE CHANGE
Deux frères empruntent 115 livres génoises à un banquier italien et conviennent de les rembourser par un versement de 460 besants (une autre monnaie) aux agents du banquier à Constantinople.

1288 LE PREMIER CERTIFICAT D'ACTION
Une lettre envoyée à une compagnie suédoise confirme la vente d'un huitième de la société d'extraction de cuivre Stora. Cette attestation de propriété est le premier certificat d'action.

1346-1351 LA GRANDE PESTE
Une terrible épidémie tue un Européen sur trois. L'économie européenne aura du mal à s'en relever.

1403 L'ESSOR DE LA BANQUE EN ITALIE
Le prêt à intérêt est légalisé à Florence, ouvrant la voie au développement fulgurant de l'activité bancaire.

Pièces espagnoles du XVIᵉ siècle fabriquées avec l'or et l'argent extraits en Amérique du Sud

1492 LES EUROPÉENS DÉCOUVRENT L'AMÉRIQUE
La découverte de l'Amérique par Christophe Colomb marque le début d'une spectaculaire expansion de l'économie mondiale.

1498 LE COMMERCE MARITIME EUROPE-ASIE
La découverte par Vasco de Gama d'une route maritime vers l'Inde ouvre d'immenses marchés pour l'Europe comme pour l'Asie.

1500-1540 L'OR ESPAGNOL
Les conquistadors espagnols pillent l'or des Aztèques du Mexique et des Incas du Pérou. Ils expédient tant d'or en Europe que sa valeur finit par baisser.

1502 DÉBUT DE LA TRAITE DES NOIRS
Les premiers esclaves africains arrivent en Amérique. Au cours des trois siècles suivants, 12 millions d'Africains seront déportés en Amérique pour travailler comme esclaves dans les mines et les plantations.

1634-1637 LA FOLIE DES TULIPES
Aux Pays-Bas, l'engouement pour des variétés rares de tulipes fait exploser le prix de cette fleur et provoque une énorme bulle spéculative.

V. 1750 DÉBUT DE LA RÉVOLUTION INDUSTRIELLE
L'introduction en Angleterre de nouveaux procédés industriels utilisant la force hydraulique et la machine à vapeur marque le début de la Révolution industrielle.

1773 LA « TEA PARTY » DE BOSTON
Pour protester contre les taxes imposées par les Anglais, des colons américains déguisés en Indiens jettent une cargaison de thé dans le port de Boston. C'est le premier jalon sur la voie de l'indépendance américaine.

1776 LA RICHESSE DES NATIONS
Adam Smith publie l'une des œuvres fondatrices de la science économique, *Recherches sur la nature et les causes de la richesse des nations*.

1804-1829 LE CHEMIN DE FER À VAPEUR
Richard Trevithick fait circuler la première locomotive à vapeur à Merthyr Tydfil (pays de Galles). En 1829, des trains de marchandises relient Stockton à Darlington et Liverpool à Manchester (Angleterre). À la même date, la première locomotive française circulait sur la ligne Saint-Étienne-Lyon.

1807 L'ANGLETERRE ABOLIT L'ESCLAVAGE
La traite des esclaves est abolie dans l'Empire britannique et la Royal Navy fait respecter un embargo international sur ce commerce. Les Etats-Unis aboliront l'esclavage en 1865 et la France en 1848.

1838 PREMIERS MESSAGES INSTANTANÉS
L'invention du télégraphe électrique permet de transmettre rapidement des messages à distance.

1854 LE JAPON OUVRE SES PORTES
Après plus de deux siècles d'isolement, le Japon ouvre ses ports au commerce international.

1855 LA RÉVOLUTION DE L'ACIER
Le procédé Bessemer de transformation de la fonte en acier permet d'augmenter fortement la production.

1857 CRISE FINANCIÈRE
En octobre, une panique bancaire contraint 1 415 banques américaines à suspendre les retraits en or et en argent, déclenchant une récession des deux côtés de l'Atlantique.

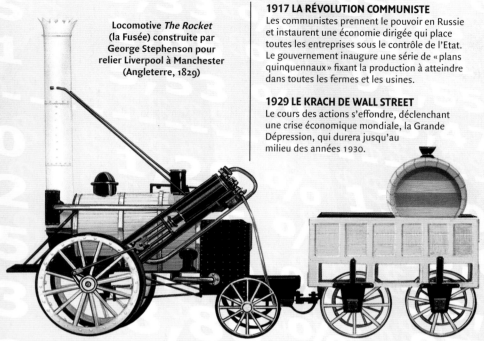

Locomotive *The Rocket* (la Fusée) construite par George Stephenson pour relier Liverpool à Manchester (Angleterre, 1829)

1869 LE CANAL DE SUEZ

L'ouverture du canal de Suez, qui relie l'Europe à la mer Rouge, raccourcit considérablement la traversée entre l'Europe et l'Asie.

1874 LE TÉLÉPHONE

Alexander Graham Bell invente le téléphone. Cette innovation technique ouvre d'immenses horizons à l'activité économique.

Affiche de Joseph Staline présentant un plan quinquennal au peuple russe en 1946

1908-1913 LA CHAÎNE D'ASSEMBLAGE

Henry Ford invente la chaîne d'assemblage et lance la première fabrication en grande série d'une automobile au prix abordable : la Ford Model T.

1914 L'IMPÔT SUR LE REVENU EN FRANCE

Le ministre des Finances Joseph Caillaux introduit l'impôt sur le revenu, mais ne parvient cependant pas à faire voter son projet d'impôt sur la fortune.

1917 LA RÉVOLUTION COMMUNISTE

Les communistes prennent le pouvoir en Russie et instaurent une économie dirigée qui place toutes les entreprises sous le contrôle de l'Etat. Le gouvernement inaugure une série de « plans quinquennaux » fixant la production à atteindre dans toutes les fermes et les usines.

1929 LE KRACH DE WALL STREET

Le cours des actions s'effondre, déclenchant une crise économique mondiale, la Grande Dépression, qui durera jusqu'au milieu des années 1930.

1944 LES ACCORDS DE BRETTON WOODS

Au lendemain de la guerre, les représentants de 44 pays fixent les règles du nouveau système monétaire international. Ils instaurent la parité fixe des monnaies et créent le Fonds monétaire international (FMI).

1945-1960 LE BOOM DE L'APRÈS-GUERRE

Une reprise vigoureuse succède à la Seconde Guerre mondiale. Grâce à cette nouvelle prospérité, beaucoup accèdent au confort moderne : télévision, réfrigérateur, voiture, etc.

1957 L'UNITÉ EUROPÉENNE

Six Etats européens décident de supprimer les barrières douanières entre eux et de former une communauté économique, qui deviendra l'Union européenne.

1973 LA CRISE DU PÉTROLE

Plusieurs Etats producteurs de pétrole suspendent leurs livraisons aux Etats-Unis et à l'Europe. Les prix du pétrole quadruplent et l'inflation s'emballe.

1978 LA CHINE PERMET LES ENTREPRISES PRIVÉES

Le gouvernement communiste chinois autorise les paysans à vendre leurs récoltes et à conserver l'argent pour eux. Ils ne sont plus contraints de travailler dans les fermes d'Etat.

1979 PREMIER RÉSEAU DE TÉLÉPHONIE MOBILE

La firme japonaise NTT crée le premier réseau commercial de téléphonie mobile.

1980 LES « REAGANOMICS »

Pour stimuler l'économie américaine, le président américain Ronald Reagan met en œuvre un plan de déréglementation économique et de réduction des impôts et des dépenses publiques.

1989 LES DÉBUTS DE LA TOILE

L'informaticien anglais Tim Berners-Lee imagine le système qui va devenir le World Wide Web (la Toile) et ouvrir de nouveaux marchés à des centaines de millions de gens.

1989 LA CHUTE DU MUR DE BERLIN

La chute du mur de Berlin, qui séparait Berlin-Est et Berlin-Ouest, sonne la fin du bloc communiste et la réunification de l'Allemagne. Entre 1989 et 1991, les communistes perdent le pouvoir en Russie et dans toute l'Europe de l'Est.

1991 LES RÉFORMES INDIENNES

L'Inde adopte des lois encourageant la concurrence entre les entreprises indiennes et avec l'étranger. La croissance décolle.

2000 LE KRACH DES TECHNOLOGIQUES

La bulle spéculative du secteur Internet éclate, provoquant une chute spectaculaire du cours des actions.

2008 LA CRISE DU CRÉDIT

Une crise financière due à des stratégies de prêt à haut risque plonge le monde dans la récession.

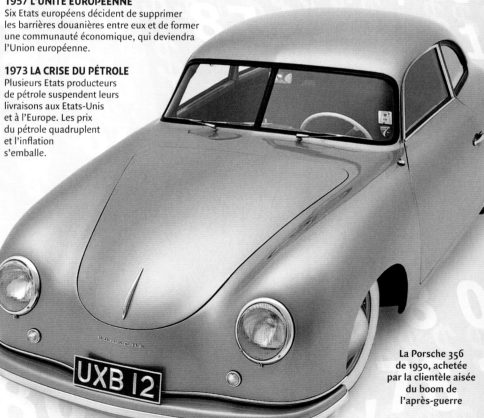

La Porsche 356 de 1950, achetée par la clientèle aisée du boom de l'après-guerre

GLOSSAIRE

Le pot-de-vin est une forme de corruption.

ACTIF
Un bien appartenant à un particulier ou à une entreprise, possédant une valeur et contribuant à la production de richesses. Les actions, les terrains et les bâtiments sont des actifs.

ACTIONNAIRE
Propriétaire d'une ou plusieurs actions d'une entreprise.

ACTIONS
Certificats attestant la propriété d'une fraction du capital d'une entreprise qui peuvent être vendus et achetés sur un marché boursier.

Une machine agricole : la moissonneuse-batteuse

AGRICULTURE
Production de nourriture par la culture de la terre et l'élevage d'animaux. C'est l'un des principaux secteurs économiques.

ASSURANCE
Contrat passé entre un assureur et un client par lequel l'assureur s'engage à lui verser une indemnisation si certains événements surviennent (vol, incendie...). L'assurance permet de se protéger d'un risque en payant régulièrement une petite somme (prime) à l'assureur.

BALANCE COMMERCIALE
La valeur des exportations d'un Etat moins la valeur de ses importations.

BANQUE CENTRALE
Institution chargée de réguler la quantité de monnaie en circulation dans un Etat.

BANQUE MONDIALE
Organisation internationale qui fournit une aide financière aux pays en développement.

BOOM
Période de croissance économique très rapide, qui généralement ne dure qu'un temps et se termine par une crise.

BOURSE
Lieu où l'on vend et achète les actions des entreprises.

BULLE
Hausse soudaine du prix d'un actif ou d'un ensemble d'actifs très au-dessus de leur valeur réelle.

CAPITAL
Le « capital réel » comprend les machines, usines et autres ressources nécessaires à la production de biens et de services. Le « capital financier » est l'argent permettant d'acheter du capital réel.

CAPITALISME
Système économique dans lequel les moyens de production, de distribution et d'échange appartiennent à des propriétaires privés.

CARTEL
Groupe d'entreprises qui s'entendent pour fixer des prix plus élevés que s'ils étaient déterminés par le libre jeu du marché.

CHIFFRE D'AFFAIRES
Recettes totales d'une entreprise avant déduction de ses charges et impôts.

CHÔMAGE
Situation d'une personne privée d'emploi. Le taux de chômage est le pourcentage de la population prête à travailler mais qui ne trouve pas d'emploi.

COMMERCE
Echange de biens et de services, généralement par l'intermédiaire de l'argent.

COMMERCE ÉQUITABLE
Mouvement qui vise à assurer aux paysans des pays pauvres un revenu plus élevé que si le prix de leurs produits était fixé par le fonctionnement « normal » des marchés.

COMMISSION
Fraction du prix d'un bien ou d'un service versée au vendeur.

COMMUNISME
Système économique dans lequel l'Etat garde la propriété et le contrôle des moyens de production (usines, équipement et matières premières).

CONCURRENCE
Situation dans laquelle deux entreprises ou plus rivalisent pour conquérir un marché en proposant à la clientèle les conditions les plus favorables.

CONSOMMATION
Utilisation de biens ou de services.

CONTRAT À TERME
Engagement de vendre ou d'acheter un actif à une date future mais à son prix actuel.

Le débiteur dans sa prison. Une situation plus fréquente autrefois

CORRUPTION
Délit consistant à obtenir un avantage ou une faveur par un versement d'argent.

COURTIER
Personne qui achète et vend des actions pour le compte de clients.

COÛTS DE TRANSACTION
Coûts entraînés par l'achat, la vente ou le transfert de la propriété d'un bien.

Café produit par une coopérative du commerce équitable

CRÉDIT
Argent qui peut être prêté à un particulier ou à une entreprise.

CRISE DU CRÉDIT
Réduction soudaine des capacités de prêt des banques qui rend le crédit plus cher et plus difficile à obtenir.

CRÉDITEUR
Particulier ou entreprise à qui l'on doit de l'argent.

DÉBITEUR
Particulier ou entreprise qui doit de l'argent à un créditeur.

DÉFAILLANCE
Non-paiement d'une somme due.

DÉFLATION
Baisse générale des prix des biens et services d'une économie. L'inverse de l'inflation.

DEMANDE
Quantité d'un bien ou d'un service que les consommateurs veulent et peuvent acheter à un certain prix.

DÉMOCRATIE
Système politique dans lequel le pouvoir est exercé par le peuple à travers ses représentants élus.

DÉPÔT
Somme d'argent placée dans une banque.

DÉPRESSION
Période de réduction importante et prolongée de l'activité économique d'un ou plusieurs pays.

DEVISE
Monnaie d'un pays ou d'un groupe de pays. Le dollar est la devise des Etats-Unis, la livre sterling, celle du Royaume-Uni, et l'euro, celle de 16 pays de l'Union européenne dont la France.

DICTATURE
Système politique dans lequel un seul individu concentre la totalité des pouvoirs.

DISTRIBUTION
Transport des produits finis des lieux de production jusqu'aux lieux de vente aux consommateurs.

DIVIDENDES
Part versée par les entreprises à leurs actionnaires sur le bénéfice après impôt.

DIVISION DU TRAVAIL
Fractionnement du travail en une série de tâches réalisées par autant de spécialistes pour améliorer la productivité.

DROITS DE DOUANE
Taxes sur les biens transportés d'un pays dans un autre.

ÉCONOMIE
Organisation de la production, de la consommation et de la distribution dans une société.

ÉCONOMIE DIRIGÉE
Système économique dans lequel les principales décisions relatives à la production et à la distribution sont prises par l'Etat.

ÉCONOMIES D'ÉCHELLE
Economies liées à l'augmentation de la taille de l'entreprise. Plus la production augmente, plus le coût de production unitaire diminue.

ÉCONOMIE MIXTE
Système économique dans lequel la plupart des entreprises sont privées mais où l'Etat régule l'économie et fixe ses grandes orientations.

ÉCONOMIE PARALLÈLE
La part de l'activité économique qui se déroule en marge de la loi, comme la vente de drogues illicites ou la contrefaçon.

Zecchini, pièces d'or frappées à Venise à partir de 1284

EFFICACITÉ
Recherche de la production maximale à partir d'une quantité limitée de ressources (le temps et l'argent, par exemple).

ÉPARGNE
Argent économisé pour une utilisation future.

ÉTALON-OR
Système monétaire international définissant la valeur de chaque pièce et billet par un certain poids d'or. Il n'est plus utilisé aujourd'hui.

EXPORTATIONS
Biens et services vendus aux pays étrangers.

FACTEURS DE PRODUCTION
Ensemble des ressources nécessaires à la production : le travail, les matières premières, l'énergie, les machines, etc.

FAILLITE
Etat d'une personne ou d'une entreprise déclarée dans l'incapacité de payer ses dettes par une décision de justice.

FÉODALISME
Système économique médiéval dans lequel les propriétaires terriens donnaient aux paysans des parcelles de terre en échange d'une partie des récoltes et du service des armes.

FISCAL
Relatif aux impôts et taxes.

FONDS MONÉTAIRE INTERNATIONAL
Organisation internationale qui accorde des prêts aux Etats lorsque leur économie est menacée par une crise financière.

FORCES DU MARCHÉ
L'offre et la demande de biens et de services.

HYPERINFLATION
Période d'augmentation incontrôlable des prix faisant perdre sa valeur à la monnaie.

IMPORTATIONS
Biens et services achetés aux pays étrangers.

IMPÔTS
Prélèvements obligatoires effectués au profit de l'Etat sur les revenus, la consommation et la propriété de biens immobiliers.

INDICE
Chiffre calculé sur une sélection fixe de prix qui exprime la valeur d'un ensemble de biens à un moment donné – par exemple, l'indice CAC 40 exprime la valeur des actions de 40 grandes entreprises cotées à la Bourse de Paris. La variation de l'indice montre comment évolue la valeur de cet ensemble de biens.

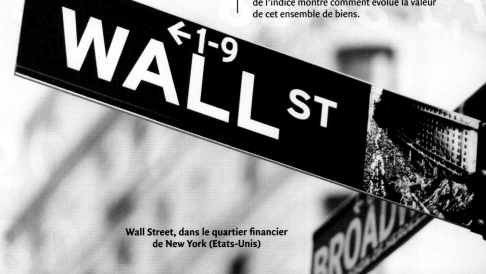

Wall Street, dans le quartier financier de New York (Etats-Unis)

INDUSTRIE
Secteur économique recouvrant l'ensemble des activités de transformation des matières premières en produits finis. On y inclut la production d'énergie et la construction.

INFLATION
Augmentation du prix des biens et des services au cours d'une certaine période.

INFRASTRUCTURES
Equipements et services nécessaires à l'activité économique et à la vie de la collectivité, tels que routes, ponts, réseaux d'eau, électricité...

INSOLVABILITÉ
Incapacité de payer ses dettes.

INTÉRÊT
Rémunération versée par l'emprunteur au prêteur, généralement calculée en pourcentage de la somme empruntée.

INVESTISSEMENT
Achat d'un actif (une machine, par exemple) dans le but d'en obtenir une rentabilité ou un profit.

LIBRE ENTREPRISE
Système économique dans lequel les prix sont déterminés par le jeu de l'offre et de la demande.

LIQUIDITÉ
La liquidité d'un actif est sa capacité à être rapidement converti en argent liquide.

MARCHÉ
Lieu réel ou virtuel où se rencontrent les acheteurs et les vendeurs.

MARXISME
Doctrine politique tirée des travaux du penseur allemand du XIXe siècle Karl Marx. Marx prédisait la révolte des ouvriers exploités par le capitalisme, qui devait provoquer l'avènement du communisme.

MATIÈRE PREMIÈRE
Produit de base (céréales, fer, etc.) toujours identique quel que soit le producteur, contrairement à des biens comme les appareils domestiques, dont la qualité peut varier.

MIGRATION
Mouvement de population d'un pays ou d'un territoire à un autre.

Tête monumentale de Karl Marx

MONNAIE
Moyen d'échange ; toute chose généralement acceptée en paiement.

MONOPOLE
Entreprise contrôlant intégralement la vente d'un bien ou d'un service.

NATIONALISATION
Prise de contrôle ou achat forcé d'une entreprise privée par l'Etat.

OBLIGATION
Certificat de dette émis par une entreprise ou un Etat, par lequel l'emprunteur s'engage à rembourser au porteur la somme empruntée, augmentée d'un intérêt, à une date future.

OFFRE
Quantité d'un bien ou d'un service que les vendeurs veulent et peuvent fournir aux consommateurs à un certain prix.

ORGANISATION MONDIALE DU COMMERCE
Organisation internationale qui contrôle le commerce mondial et fait respecter ses règles.

PAYS DÉVELOPPÉS
Etats riches et industrialisés dont les citoyens jouissent d'un niveau de vie élevé.

PAYS EN DÉVELOPPEMENT
Etats moins avancés sur le plan technologique, dans lesquels le niveau de vie est faible.

PIB
Produit intérieur brut. Valeur de tous les biens et services produits dans un pays pendant une année.

POPULATION
Nombre total d'habitants d'une région ou d'un pays.

PRÊT
Somme d'argent mise à la disposition d'un particulier ou d'une entreprise pour une certaine durée. Habituellement, un prêt donne lieu au versement d'un intérêt par l'emprunteur au prêteur.

PRIX
Quantité d'argent nécessaire à l'achat d'un bien ou d'un service déterminé.

PRODUCTION
Processus de fabrication d'un bien. Désigne aussi la quantité fabriquée de ce bien.

PRODUCTIVITÉ
Production réalisée pour chaque unité d'un facteur de production (cette unité peut être, par exemple, une heure de travail).

PROPRIÉTÉ INTELLECTUELLE
Protection par la loi des idées et des inventions afin qu'elles ne puissent pas être utilisées sans l'autorisation de leur propriétaire.

QUARTIER FINANCIER
Quartier où se concentrent les banques, sociétés d'agents de change et autres institutions financières.

RÉCESSION
Période de ralentissement de l'activité économique et de réduction du PIB.

Le président vénézuélien Hugo Chavez a nationalisé de grands secteurs industriels comme l'électricité, le pétrole et l'acier.

RESPONSABILITÉ LIMITÉE
Disposition légale grâce à laquelle les actionnaires d'une entreprise ne sont obligés de rembourser ses dettes qu'à concurrence de la valeur de leurs actions (ils ne peuvent donc pas perdre plus d'argent qu'ils n'en ont investi).

RESSOURCES NATURELLES
Eléments, matériaux et sources d'énergie existant naturellement sur Terre et présentant une utilité et une valeur économiques, telles que l'eau, le bois, le vent, le pétrole, etc.

RETRAITE
Somme versée régulièrement à une personne ayant cessé son activité en raison de son âge par un Etat ou une entreprise.

Cette ferme éolienne convertit une ressource naturelle, le vent, en énergie.

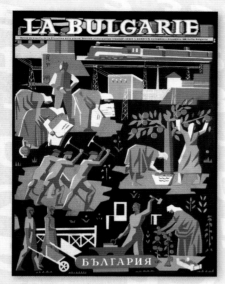
Affiche de 1948 célébrant le socialisme bulgare

REVENU
Argent acquis par le travail ou l'investissement.

SALAIRE MINIMUM
Salaire en dessous duquel un employeur n'a pas le droit de payer ses salariés.

SCIENCES ÉCONOMIQUES
Sciences de la production et de la distribution des richesses et de leur répartition entre les membres de la collectivité.

SECTEUR DES SERVICES
Secteur économique recouvrant l'ensemble des activités caractérisées par la mise à disposition du public ou des clients d'une compétence technique ou intellectuelle, sans production d'un bien matériel (guide touristique, pompier, infirmière, etc.).

SOCIALISME
Doctrine politique qui prône la propriété d'Etat des entreprises pour parvenir à l'égalité économique et sociale.

SOLVABILITÉ
Capacité de payer ses dettes.

SPÉCULATION
Le fait de parier sur la valeur future d'un bien pour réaliser un profit.

STAGNATION
Situation d'une économie qui ne subit ni croissance ni contraction.

STOCK
Quantité d'un produit qu'un vendeur possède à un moment donné.

SYNDICAT
Groupement de travailleurs qui a pour objectif l'amélioration des conditions de travail et l'augmentation des salaires.

TAUX DE CHANGE
Valeur d'une monnaie exprimée dans une autre monnaie.

TAUX DE RENDEMENT
Revenu produit par un investissement pendant une certaine période (généralement une année), exprimé en pourcentage du coût de cet investissement. Par exemple, un champ acheté 1 000 euros et loué à un fermier pour 100 euros par an a un taux de rendement de 10 %.

Chômeurs faisant la queue devant une soupe populaire pendant la Grande Dépression

TROC
Echange de biens et services contre d'autres biens et services sans utilisation d'argent.

DES LIEUX À VISITER

LE PALAIS BRONGNIART
Anciennement appelé palais de la Bourse, le palais Brongniart – du nom de l'architecte qui l'a construit – accueillait la Bourse de Paris. Cet édifice néoclassique est situé dans le IIe arrondissement de Paris. Aujourd'hui il a été transformé en centre de conférence. Station de métro : Bourse
http://palaisbourse.euronext.com

L'HÔTEL DE LA MONNAIE
Situé quai de Conti, l'hôtel de la Monnaie, édifice d'un sobre et noble classicisme que l'on doit à l'architecte Jacques Denis Antoine, frappait autrefois la monnaie. Siège de l'administration française des monnaies et médailles, il abrite de nos jours un musée monétaire.
Boutique – Musée
2, rue Guénégaud
75006 Paris
http://www.monnaiedeparis.fr

LE MINISTÈRE DE L'ÉCONOMIE ET DES FINANCES
Autrefois hébergé dans l'une des ailes du musée du Louvre, le ministère de l'Économie et des Finances a été transféré dans les bâtiments Colbert, Vauban et Necker construits à cet effet dans les années 1980. Dessiné par les architectes Paul Chemetov et Borja Huidobro, le bâtiment, d'une longueur de 370 m, est composé de deux arches de 72 m. L'une plongeant dans la Seine par-dessus le quai de Bercy, l'autre au-dessus de la rue de Bercy, reliées par une succession d'arches.
Visite virtuelle : http://www.budget.gouv.fr/ directions_services/sircom/patrimoine/index.htm

LA BANQUE DE FRANCE
La Banque de France s'est installée en 1811 dans cette ancienne demeure du comte de Toulouse construite vers 1640 par l'architecte François Mansart. La somptueuse Galerie dorée de l'hôtel de Toulouse se visite uniquement le samedi matin à 10 h 30.
http://www.banque-france.fr/fr/instit/histoire/ visite.htm

SITES INTERNET

Melchior est un site de ressources pédagogiques en sciences économiques et sociales.
www.melchior.fr

La banque des savoirs, créée par le Conseil général de l'Essonne, est un site d'information pour tous. Il présente des dossiers réalisés sur les problèmes économiques et la sociologie.
www.savoirs.essonne.fr/dossiers/les-hommes/ economie

L'institut pour l'information financière du public
www.lafinancepourtous.com/-Jeunes-.html

Banque de ressources interactives en sciences économiques et sociales est un site destiné aux élèves de terminale ES.
www.brises.org

INDEX

NOTES

L'éditeur souhaite remercier :
Steve Setford pour le secrétariat d'édition ; Stephanie Pliakas pour la relecture des épreuves ; Jackie Brind pour la création de l'index ; David EkholmJAlbum, Sunita Gahir, Jo Little, Sue Nicholson, Jessamy Wood, et Bulent Yusuf pour les dessins ; et les conseillers Camilla Hallinan et Dawn Henderson.

ICONOGRAPHIE

Les éditeurs adressent également leurs remerciements aux personnes et/ou organismes cités ci-dessous pour leur aimable autorisation à reproduire les photographies :

(a = au-dessus ; b = bas/en dessous ; c = centre ; g = gauche ; d = droite ; h = haut)

akg-images : 49hg ; **Alamy Images :** Frank Chmura 9hg ; Corbis Super RF 31b ; Eagle Visions Photography/Craig Lovell 9cg ; Mary Evans Picture Library 68bd ; Jason Friend 17hd ; David Gowans 44hg (avion) ; Peter Horree 15hd ; KPZ Foto 21hd ; Martyn Vickery 30cd ; **Avec l'aimable autorisation d'Apple. Apple et son logo sont des marques déposées Apple Computer Inc. :** 4cga, 6hd ; **The Art Archive :** Musée du Louvre, Paris/Dagli Orti 16cg ; Dagli Orti 68c ; Private Collection/Marc Charmet 71hg ; Tate Gallery, Londres/Eileen Tweedy 36bg ; **The Bridgeman Art Library :** Collection of the New York Historical Society 2c, 32hd ; Delaware Art Museum, Wilmington 38hg ; Dreamtime Gallery, Londres 13bd ; Collection privée 67cgb ; **The Trustees of the British Museum :** 2cd, 20bd ; **Corbis :** Craig Aurness 19b ; Richard Baker 41bg, 47hg ; Bettmann 10hg, 46cd, 50cd, 53hd, 71c ; Car Culture 31cga ; Condé Nast Archive 42hg ; Keith Dannemiller 33bc ; C. Devan 33cd ; DPA/Tim Brakemeier 11hg ; Tom Owen Edmunds 45hg ; EPA/David Coll Blanco 45c ; EPA/Hotli Simanjuntak 11c ; EPA/STR 51hd ; EPA/Yonhap 39cd ; Eurasia Press/Steven Vidler 22b, 42cd ; Free Agents Limited/Dallas and John Heaton 11hd ; Michael Freeman 44b ; The Gallery Collection 34cg ; Porter Gifford 40b ; Godong/Pascal Deloche 37hg ; Klaus Hackenberg 27hd ; Historical Picture Archive 23hc ; Andrew Holbrooke 55cda ; Angelo Hornak 30bg ; Image Source 15bc ; JAI/Gavin Hellier 51bd ; JAI/Walter Bibikow 10b ; Wolfgang Kaehger 54bg ; Bob Krist 42cg ; Kim Kulish 31hd ; Frans Lanting 31hc ; Gideon Mendel 26b, 58-59bc ; Hans Peter Merten 47hd ; Jean Miele 35h ; Gianni Dagli Orti 6cg, 66cg ; PoodlesRock 66hd ; Ryan Pyle 33hg ; Redlink 60cg ; Reuters/Alexander Natruskin 48bd ; Reuters/Brendan McDermid 40hd ; Reuters/Jagadeesh 53hg ; Reuters/Jo Yong-Hak 51cg ; Reuters/Marcos Brindicci 70cd ; Reuters/Yuriko Nakao 27bd ; Gregor Schuster 26hd ; David Selman 59cg ; Star Ledger/Mark Dye 52-53b ; Rudy Sulgan 69bd ; Sygma/Paulo Fridman 56-57c ; Murat Taner 6-7b ; William Taufic 7hg ; Liba Taylor 45hd ; TWPhoto 53cg ; Visions of America/Joseph Sohm 42bg, 48cg, 70-71b ; Mark Weiss 21hg ; Westend 61/Fotofeeling 43hg ; Xinhua Press/Guo Lei 41hc ; Zefa/Matthias Kulka 29c ; Zefa/Ursula Klawitter 62bc ; **Dorling Kindersley :** Avec l'aimable autorisation de American Museum of Natural History/Lynton Gardiner 2hg, 13c ; The British Museum, Londres/Chas Howson 20bc, 20hd, 21bd ; The British Museum, Londres/Tina Chambers 66cb ; Confederate Memorial Hall, La Nouvelle-Orléans/Dave King 46c (chapeau) ; Avec l'aimable autorisation de Gettysburg National Military Park, PA/Dave King 46cb (fusil) ; Judith Miller/Huxtins 39hg ; Avec l'aimable autorisation de The Museum of London 4cgb, 12hg (noisettes et mûres) ; Avec l'aimable autorisation de Pitt Rivers Museum, University of Oxford/Dave King 20cb ; Avec l'aimable autorisation de Royal Geographical Society, Londres 32hg ; Avec l'aimable autorisation de US Army Heritage and Education Center – Military History Institute/Dave King 46cgb (couverture) ; **Getty Images :** AFP/Ahmad Al-Rubaye 8cg, 63hd ; AFP/Alexander Joe 49b ; AFP/Dominique Faget 41bd ; AFP/Fabrice Coffrini 55hc ; AFP/Hoang Dinh Nam 33hd ; AFP/Issouf Sanogo 54cg ; AFP/Jeff Haynes 35cd ; AFP/Jimin Lai 37hd ; AFP/Jung Yeon-Je 28-29bc ; AFP/Michael Latz 32b ; AFP/Roberto Schmidt 19hd ; AFP/Roslan Rahman 29bd ; AFP/Shah Marai 29hd ; AFP/Torsten Blackwood 9bd ; AFP/Uwe Meinhold 70hc ; Asia Images/Marcus Mok 5, 27cga ; Asia Images/Rex Butcher 25b ; Blend Images/Stewart and Pam Ostrow 61cdb ; Blue Jean Images 9cda ; The Bridgeman Art Library 18cdb, 18hd, 24bg ; Paula Bronstein 63cg ; China Photos 14bg ; Digital Vision/Jorg Greuel 65cd ; Digital Vision/Lauren Nicole 4bd, 61hd ; Evening Standard 49hd ; FPG/Hulton Archive 38-39hg ; Christopher Furlong 23cd, 57hd ; Gallo Images/Andrew Bannister 12-13bc ; Glowimages 6hg ; Hulton Archive 17b ; Iconica/Grant V. Faint 18cgb ; The Image Bank/Barros & Barros 57bd ; The Image Bank/Mitchell Kanashkevich 45cd ; Mike Kemp 62cg ; Alex Livesey 37b ; Lonely Planet Images/Jane Sweeney 24hg ; Peter Macdiarmid 41cd ; National Geographic/Richard Nowitz 4cdb, 29hg ; PhotoAlto Agency/Isabelle Rozenbaum et Frederic Cirou 69hg ; Photodisc/Peter Adams 13hd ; Photographer's Choice/Andrew Paterson 1, 27hg ; Photographer's Choice/Ariel Skelley 41hg ; Photographer's Choice/Burazin 44hg (fond) ; Photographer's Choice/C Squared Studios 59h ; Photographer's Choice/Fabian Gonzales 11bc ; Photographer's Choice/Frank Lukasseck 60-61c ; Photographer's Choice/Gavin Hellier 62-63c ; Photographer's Choice/Gregor Schuster 23bd ; Photographer's Choice/John Lamb 8d ; Photographer's Choice/Nacivet 7hd ; Photographer's Choice/Sam Armstrong 46hg ; Photographer's Choice/Still Images 58hg ; Photographer's Choice/Tim Hawley 65b ; Photonica/Phillip Simpson 8bg ; Photonica/Steven Puetzer 68hc ; Steven Puetzer 3c, 34-35bg ; Riser/Barry Wong 22hg ; Sebun Photo/R. Creation 43b ; StockFood Creative 59cd ; Stone/Frans Lemmens 47b ; Stone/James Worrell 47cd ; Stone/Joseph Van Os 59bd ; Stone/Peter Adams 4bg, 23hg ; Taxi/Vikki Hart 26hg ; Time Life Pictures/Victor Englebert 13hg ; Topical Press Agency 7hd ; Ian Waldie 61cda ; **An Inquiry into the Nature and Causes of the Wealth of Nations, 1764, Adam Smith :** 16cdb ; **Govind Mittal :** 17cgb ; **iStockphoto.com :** 2bg, 2bg (Jerrican), 19hg, 21cg, 48hd (Jerrican) ; Pawel Bartkowski 63bd ; Dawn Liljenquist 16cdb ; Max Popov 2ca, 23ca ; Ivan Stevanovic 56cg ; **Library Of Congress, Washington, D.C. :** 35cg, 50cg ; **Martin Wilson :** 52hg ; **Musée de la banque nationale de Belgique, Bruxelles :** 24cg ; **Panos Pictures :** G.M.B. Akash 58cgb ; **Photolibrary :** AGE Fotostock/Jose Fuste Raga 30cg ; AGE Fotostock/Morales 14d ; Photononstop/Nicholas Thibaut 23tr ; **Press Association Images :** AP Photo/Karel Navarro 15cgb ; Department of Justice 51hg ; **Rex Features :** 50-51bc ; Richard Gardner 45bd ; **SanDisk Corporation :** 55cdb ; **Scripophily.com — The Gift of History :** 34hd ; **Shutterstock :** 64-65 (fond), 66-67 (fond), 68-69 (fond), 70-71 (fond) ; **Still Pictures :** Joerg Boethling 54-55c ; Transit/Christiane Eisler 7cd.

Toute autre illustration © Dorling Kindersley

Couverture : Toutes les illustrations © Dorling Kindersley sauf : 4e plat : **Corbis** Alan Schein Photography bg, **DK Images** avec l'aimable autorisation du British Museum, Londres/Chas Howson bd.